La literatura española en las obras de Galdós

(FUNCIÓN Y SENTIDO DE LA INTERTEXTUALIDAD)

Rubén Benítez

La literatura española
en las obras de Galdós

(FUNCIÓN Y SENTIDO DE LA INTERTEXTUALIDAD)

UNIVERSIDAD DE MURCIA
1992

BENÍTEZ, Rubén

La literatura española en las obras de Galdós (Función y sentido de la intertextualidad) / Rubén Benítez. — Murcia Universidad, Secretariado de Publicaciones, 1992

276 p. - (Colección Maior 53)
ISBN 84-7684-285-6

1. Pérez Galdós, Benito - Crítica e interpretación. I. Universidad de Murcia. Secretariado de Publicaciones, ed. II. Título. III. Serie

860 Pérez Galdós, Benito 1.06

I.S.B.N.: 84-7684-285-6
Depósito Legal: L–396–1992
Imprime: Poblagràfic, S.A. - Av. Estació, s/n
         La Pobla de Segur (Lleida)

1. PREFACIO

1. Prefacio

En un libro editado por la Universidad de Murcia, *Cervantes en Galdós. (Literatura española e intertextualidad)* (1990), he analizado la presencia del Quijote en el pensamiento y en la obra de Galdós; ello explica que no me dedique a Cervantes en este nuevo libro, pensando en principio como una continuación del anterior. El *Quijote* funciona en las novelas de Galdós, incluidos los *Episodios Nacionales*, como una referencia constante que permite al lector asociar el comportamiento de los personajes con el de los héroes cervantinos. Galdós sigue las enseñanzas de Hegel y piensa que los españoles de hoy, representados en esa multitud de seres novelísticos, heredan las características del Espíritu nacional, fijadas para siempre en los Siglos de Oro. Como lo dice claramente la protagonista de *Gloria*, la extremada idealización de la caballería militar, religiosa y política, se complementa con el también extremado realismo de la novela picaresca. Esos extremos configuran para siempre, a partir de *Gloria*, la psicología de los personajes galdosianos, pequeños espejos de derruidas glorias, aprisionados por un determinismo racial pero también dueños de una imaginación libre y poderosa.

Cervantes está presente también en el deliberado uso de *hipotextos* literarios, recurso fundamental de la novela moderna. Mikhail Bakhtin fue el primero en indicar que un texto literario, especialmente la novela, constituye siempre un modo de comunicación, una relación "dialógica" entre el escritor, sus personajes, el público destinatario, el contexto cultural del pasado que se evoca y del presente de la escritura. (*The Dialogical imagination. Four Essays by M.M. Bakhtin*, Edición de Michael Holquist Austin, University of Texas Press, 1981, págs. 259-422). De esa idea central se desprende el concepto de *intertextualidad* de Julia Kristeva: todo texto literario, desde la obra de Cervantes, se construye como un mosaico de citaciones, como la transformación de otros textos en costante relación dialógica (*Semiotiqué. Recherches pour une Sémanalyse.* Paris, Editions de Seuil, 1969, págs. 143-173) Gerard Genette (*Palimpsestes. La littérature au second degré.* París, Seouil, 1982) analiza todos los procedimientos de la intertextualidad en Cervantes y en otros escritores europeos o americanos, incluidos Unamuno y Borges. Poco se ha trabajado, a este respecto, la novela realista decimonónica, poco propicia por naturaleza a esos juegos imaginativos.

Ahora se trata de extender mi análisis a otras manifestaciones de la literatura española en ese primer libro no considerados, que configuran un importante aspecto de la novela de Galdós y su más directo modo de integrar, de acuerdo con Hegel, la vida individual con el Espíritu nacional: la literatura medieval, la novela picaresca, la mística y la literatura pastoril. La novela de Galdós, realista en cuanto procura el reflejo de las características de su tiempo, escapa sin embargo de la definición universal del realismo, como escapa la novela cervantina, por el uso de esa intertextualidad que confiere a las acciones y a los personajes, moldeados deliberadamente sobre los modelos de la tradición literaria, una dimensión de sueño histórico por encima de las realidades descriptas. Esta perspectiva nos permite entrar respetuosamente en el taller de la creación galdosiana y sorprender el momento en que sus extraordinarias figuras reviven con especial sentido los contenidos ideales de un pasado histórico no superado y quizá en muchos aspectos insuperable. En esa curiosa trama en que se entretejen hilos de vivencias antiguas con otros de la moderna experiencia reside el secreto de la obra de Galdós y la razón profunda de su carácter nacional.

2. GALDÓS Y LA LITERATURA MEDIEVAL

2. Galdós y la literatura medieval

I. La visión de España que Galdós refleja en sus novelas sería incompleta si al relato de los acontecimientos contemporáneos no agregara de algún modo los valores de épocas distantes en el tiempo pero cercanas a las raíces de la hispanidad. No importa para ello la narración de sucesos sino la expresión de la Idea que los anima. Lo medieval en Galdós es más bien una suma de valores para siempre incorporados al espíritu español. Esos valores se manifiestan y expresan en un nivel distinto del relato y en una dimensión de sueño histórico que completa y extiende figuras y hechos reales. En ese uso especial de la historia, Galdós evidencia su deuda con dos fuentes importantes: en el plano de las ideas, la filosofía neohegeliana que le hace entender el presente nacional como la suma de valores históricos asumidos dialécticamente en la vida del espíritu; y en el plano literario, Cervantes que, como hemos visto, le ha enseñado a utilizar los textos como intratextos de la propia escritura. Es la literatura, precisamente, el mejor documento de esas esencias históricas. Galdós se sirve de la literatura medieval española, y de la pintura europea del mismo período, para contrastar, a veces irónicamente, la grandiosidad de aquellos tiempos con la pequeñez actual.

No se trata de demasiados textos ni de textos fuera de lo común; las obras con que trabaja son las que se estudian en la escuela secundaria. Al referirse por ejemplo al *Libro de buen amor* del Arcipreste de Hita sólo utiliza los fragmentos conocidos por cualquier bachiller: el retrato del Arcipreste en boca de Trotaconventos, la batalla de don Carnal y doña Cuaresma, los episodios de las serranas, especialmente el de Gadea, y los Gozos de Santa María. Sin embargo, es justo reconocer que no es el Arcipreste de Hita el escritor más difundido ni mejor leído hasta fines del siglo XIX y que Galdós anticipa con respecto a él una interpretación sorprendentemente moderna, como se verá cuando corresponda.[1]

En algunos casos, los textos de la literatura medieval aparecen directamente parodiados con intención satírica. En las Bodas Reales, por ejemplo, cuando don Luis, hombre tan ambicioso como su homónimo González Brabo, actúa de testaferro de los moderados y pretende por ello una silla ministerial, Galdós, desde una prudente distancia, enuncia un juicio desfavorable:

> Desorientado y confuso se ve el narrador de estos acontecimientos al tener que decir que aquel cínico era simpático y airoso por extremo, que fuera de la política era un hombre encantador, que a

---

1. Joaquín Casalduero ha estudiado en "Galdós y la Edad Media", *Asomante*, IX, 1953, págs. 13-27 algunos de los aspectos que analizo. A partir de ahora transcribo y comento los textos de Galdós siguiendo la edición de *Obras completas*. Madrid, Aguilar, 1973, cuando se trata de las *Novelas* (indicadas con la letra N, volúmen y número de págs.). Cuando me refiero a los *Episodios Nacionales* (E., volúmen y págs.) prefiero la impresión de 1968 de la misma editorial.

todo el mundo cautivaba: ornado de sociales
atractivos y aún de cristianas virtudes...

Pero esa distancia, menos objetiva que falsa, se rompe
subitáneamente con esta reminiscencia del *loor* de España
atribuido a Alfonso el Sabio: "¡Oh! España, en todo fecunda,
es la primera especialidad del globo para la cría de esta clase
de monstruos" (E II,1329).

En otros casos, es el personaje el que repite algún texto
literario o lo parodia. Patricio Sarmiento, el patético héroe de
El terror de 1824, que como maestro de escuela conoce bien
a sus clásicos intensifica su *planto* liberal con la inconsciente
imitación del *ubi sunt* de Jorge Manrique:

> — ¡Oh! Pasaron aquellos tiempos de gloria...
> ¡Todo ha caído, todo es desolación y muerte y
> ruinas! Aquellos adalides de la libertad, que
> arrancaron a la madre España de las garras del
> Despotismo, aquellos fieros leones matritenses,
> que con sólo un resoplido de su augusta cólera
> desbarataron a la Guardia Real, ¿qué se hicie-
> ron? ¿Qué se hizo de la elocuencia que relampa-
> gueaba tronando en los cafés, con luz y estruen-
> do sorprendentes? ¿Qué se hizo de aquéllas
> ideas de emancipación que inundaban de gozo
> nuestros corazones? Todo cayó, todo se desva-
> neció en tinieblas, como lumbre extinguida por
> la corriente de las aguas (E I, /720).

El texto de Manrique que todos recordamos ("¿Qué se
fizo el rey don Juan? - Los infantes de Aragón - ¿Qué se
fizieron? - ¿Qué fue de tanto galán? - ¿Qué fue de tanta
invención - como truxeron?") se aplica en el contexto de las
Coplas a la depreciación de los bienes terrenos o materiales
en beneficio de la vida de la fama y gloria eternas. En el uso
que Galdós hace ahora del texto en boca de Sarmiento, la

lamentación temporal adquiere carácter distinto por el contraste de los diferentes niveles de sentido. El personaje, que ha sido testigo de los hechos que evoca, lamenta sinceramente el cambio producido; pero el lector que conoce la crítica de Galdós al falso heroísmo y al palabrerío parlamentario, expresada desde *La Fontana de Oro*, sabe que el lamento resulta deliberadamente exagerado. Es en el contexto de esas ideas que la augusta cólera de los generales, heroicos como Aquiles, y la brillantez retórica, fuegos artificiales "con luz y estruendo sorprendentes", de los discursos políticos adquieren el sentido que el autor quiere darles. La ambivalencia de términos como *leones madrileños* (jóvenes de rumbo en Madrid, efigies que flanquean la escalinata de las Cortes), agregada al sentido recto, constituye el pivote central de la ironía. El buen Sarmiento es víctima expiatoria de la superficialidad de su tiempo, pero adquiere una genuina dimensión quijotesca cuando muere dignamente. Al utilizar el prestigioso texto de Manrique, el personaje lo incorpora a su mentalidad elocuente y falsa, rebajando por consiguiente la seriedad del texto clásico y banalizando su significación. El procedimiento de Galdós es, en lo formal. idéntico al de Cervamtes, pero inverso en cuanto al sentido. El Quijote confiere su propia autoridad a los textos que recuerda o que emula; en Galdós, en cambio, el texto pierde autoridad o ella se mediatiza.

Pero no son las citas textuales lo que más importa. Galdós interpreta la Edad Media como época heroica aunque primitiva y sintetiza esa heroicidad en la figura del Cid Campeador. Los niños en sus novelas, tan importantes siempre, juegan a la guerra representando al Cid. Viriato en la antigüedad, y el Cid en los tiempos modernos, sirven como paradigma de las acciones guerreras reales o imaginarias. Los personajes históricos cuya acción valora Galdós positivamente son comparados seriamente con el héroe medieval, como ocurre con Diego de León, por ejemplo. Diego de León es el "rayo de la guerra", "valiente entre los valientes ante quien mudo se postró Marte "el héroe que hacía temblar el sueloo de España con su pujanza", "temido hasta de la propia muerte", "el que llevó siempre la victoria en la punta de su lanza y con ella agujereaba los ejércitos enemigos como si fueran un pliego de papel" (E II, 1205). Según el narrador auxiliar de *Los Ayacuchos*, León es el "moderno Cid":

> Yo he llorado como un niño al saber que el moderno Cid era conducido a esta corte y encerrado en Santo Tomás como el último vocinglero de los clubs, a quien el hambre y la ignorancia convierten en furibundo *maratista* (E II, 1215).

Más adelante se completa el símil: cuando Laviña intenta favorecer su huida de la prisión, "el nuevo Cid rehusó aceptarla. Dijo que no había huido nunca, y es verdad" (E II, 1217). El moderno Cid, como el antiguo, es injustamente sometido a un consejo de guerra, que sólo sirve para enjuiciar el despotismo de quienes lo condenan.

La comparación de León con el Cid aparece con frecuencia en los periódicos políticos antiesparteristas y no es por consiguiente nueva; pero Galdós aprovecha el lugar común en un contexto distinto. La guerra civil española, originada por razones dinásticas y religiosas, parece propia de las edades antiguas. El contraste entre la fortuna del Cid, perdonado y honrado por el rey a pesar de su rebeldía, y el fusilamiento de Diego de León, favorece a los tiempos del Cid, en que aún se premiaban el valor y la hidalguía; hoy nada de eso se respeta y hasta el mismo Cid sería ajusticiado. A veces se compara también con el Cid al enemigo de Diego de León, a Espartero, pero en estos momentos de su dictatorial gobierno le corresponde mejor el epíteto de *Cromwell de Granátula* (E II, 1215).

Diego de León se destaca entre los personajes históricos de Galdós por ser tratado con mayor respeto y hasta con ternura. Ese llanto infantil al que el narrador se refiere en el párrafo citado debe responder a la realidad de un recuerdo personal del novelista.

Pero es Prim el héroe contemporáneo que mejor simboliza para Galdós las virtudes heroicas de España. La muerte de Prim constituye, junto al fusilamiento de Diego de León, el hecho político que más le impresiona. El marco apto para la glorificación de Prim es la guerra del África, guerra más bien civil entre españoles y marroquíes, como lo dice Galdós repetidamente. Tan civil, como la guerra del Cid contra árabes aposentados en esas tierras por más de ocho siglos. Las acciones guerreras de Prim merecen sin embargo un tratamiento casi épico en que la visión plástica de las escenas guerreras se une a las transformaciones mitológicas:

> Del lado de allá de este instante, que era como vértice en los órdenes del tiempo, estaba el milagro. El milagro fue que los hombres se multiplicaron. Ya no se vió más que el cruzarse de bayonetas y yagatanes, el brillar de los ojos como brasas, el hervor de un mar en que sobresalían miles de brazos agitando las armas. La masa española se incrustó en la mora. El fiero caballo del general, aunque herido, descargaba sus patas delanteras sobre cuántos cráneos a su alcance cogía. Las bayonetas segaban los haces enemigos. Morazos de tremenda estatura caían hacia atrás, elevando al cielo los remos inferiores como si fueran brazos; españoles caían también, de bruces, heridos de muerte, agujereados vientre y pecho. Otros pasaban sobre ellos..., seguían creciendo y multiplicándose, a cada momento más esforzados, con mayor desprecio de la vida... El general, siempre

delante, echando rayos de su boca, a todos deslumbraba con su locura increíble (E III, 269).

Estos caballos que pisotean cráneos, alzados sobre sus patas delanteras como fieras rampantes, recuerdan pinturas de Goya y de Delacroix en la que los caballos simbolizan la energía y la ferocidad de la guerra.[2] Pocas veces como ésta, se ha plegado Galdós, fuera de los *Episodios* de la primera época, y sin ironía alguna, a la mitología guerrera nacional. Prim es héroe de mito: su boca despide rayos y sus acciones se insertan en ese "vértice de los órdenes del tiempo" que es la esfera intemporal del milagro.

En los ejemplos comentados, el Cid sirve para exaltar el valor positivo de la heroicidad; pero en los que pasaré a analizar ahora, su función es diametralmente opuesta. Galdós comprueba, y lo dice en su *Viaje a Italia* (1888), que el Cid atrae poco al español mientras que un personaje novelesco, el Quijote, se ha convertido en elemento vivo y permanente del sentimiento nacional (N III, 1398). Es lógico pues que el Cid pueda servir también para parodiar la falsa heroicidad de los guerrilleros y soldados levantiscos que protagonizan las guerras decimonónicas. Doña Perfecta compara a Caballudo con el Cid como modo de ridiculizar sus anacrónicos arrestos guerreros (N I, 479). En *Juan Martín, "El Empecinado*, un guerrillero merece el apodo de *señó Cid Campeador*, más que por su indiscutible valor militar, por el modo en que vive

---

2. Me refiero concretamente al cuadro de Goya "2 de mayo: lucha con los mamelucos" y a cuadros de Delacroix como "Combate de Giaour y el Pashá". La obra de Goya ilustra acertadamente el primer volumen de los *Episodios Nacionales*, en la edición que manejo. Ver lo que sobre los caballos como "ideogramas de energía" dice, refiriéndose a la pintura romántica, Jean Clay en su brillante y original estudio sobre el arte de ese tiempo en *Le Romantisme*. Paris, Hachette, 1980.

y pondera sus acciones; la vulgaridad del personaje contrasta con la excelsitud del héroe histórico. Este Cid vulgar lleva montada a la grupa de su caballo a su amante, Damiana Ferenández, cuyas botas de cuero crudo erizadas de espuelas asoman bajo la falda negra (E I. 967). En *La campaña del Maestrazgo*, Cabrera se identifica también con el Cid al entrar en Valencia:

> Los ojos se le iban hacia allá, como si contar quisiera las torres y cimborrios de la que solemos llamar *Ciudad del Cid*. ¡Qué no daría aquel nuevo dominador de pueblos para poder llamarla suya! (E II, 848).

La comparación resulta ahora dolorosamente irónica dado el contexto que evidencia la ambición de Cabrera y su falta de generosidad con los vencidos. Con ademán inverso al del Cid, Cabrera afirma de inmediato, dirigiendo sus palabras a la ciudad misma:

> Ya ves como trato a mis enemigos. Permito a mis soldados que hagan esta pira de cadáveres, para que en ella veas a Cabrera. Aquí estoy; mírame, quiero que tiembles mirándome; quiero que toda España tiemble ante mí (E II, 848).

Es precisamente en *La campaña del Maestrazgo* donde Galdós extrema la comparación entre la Edad Media y la España de las guerras carlistas. Nunca hasta entonces ha trabajado tan extensa y profundamente en la descripción de una atmósfera medieval que rodea a los personajes reales e imaginarios como un sueño neblinoso que cubre paisajes, seres y acciones. Galdós repite entonces los procedimientos románticos para la reconstrucción del pasado, pero más que en las descripciones de catedrales, de escenas o de tipos, que también los hay, en la creación artística de ese ambiente moral.

En *Un voluntario realista*, episodio con el que termina la saga del liberalismo doceañista, Galdós expresa por primera vez la idea rectora de *La campaña del Maestrazgo*: Monsalud, vestido con la ropa de Tilín a cuyo sacrificio debe finalmente la vida, huye de la prisión en actitud meditativa:

> No apartaba su pensamiento de las peripecias de su insensato viaje por el campo de aquella extraña guerra, tan parecida a los sangrientos desórdenes y rebeldías de la Edad Media (E II, 105).

Esa idea queda suspendida por varias novelas en que se describe, junto a hechos guerreros, el surgimiento del Romanticismo. La revalorización romántica de la Edad Media torna más aceptable, desde el punto de vista de la verosimilitud, esa conseja medieval que es *La campaña del Maestrazgo*. En el texto de la novela, don Beltrán de Urdaneta, el noble aragonés, siente de pronto que se transporta a un mundo medieval:

> ...desde que llegó a Fuentes de Ebro todo le anunciaba la entrada en el reino de lo excepcional y maravilloso. Nada era ya común ni vulgar. Personas y cosas traían la impresión de un mundo trágico, *el cuño de una poesía ruda y libre, emancipada de toda regla* (E II, 818).

Poesía épica, más que emancipada de la retórica racionalista, como la piensa el personaje ya romántico, anterior a esas reglas, como lo debe rectificar el más exacto sentido. La experiencia de don Beltrán se aclara más por boca de Estercuel, un soldado del liberalismo:

> Es una *conseja*, y a título de tal se lo cuento, advirtiéndole que esta guerra ha resucitado en el país la Edad Media, tan bien acomodada a su naturaleza bravía, a la rudeza de sus habitantes y a

la muchedumbre de castillos, monasterios y santuarios que por todas partes se ven (E II, 824).

Don Beltrán confirma las palabras de Estercuel:

—Ya había pensado yo eso de que por ensalmo nos encontramos en siglo de feudalismo. Cuente, cuente pronto esa *leyenda* que quizá no lo sea (E II, 824).

Conseja y *leyenda* son sinónimos autorizados por los diccionarios que definen *conseja* como cuento con sabor antiguo. En este caso concreto, Estercuel y Beltrán se refieren a la historia del padre de Marcela, la santa penitente, cuyas riquezas están enterradas, según se dice, en los escabrosos terrenos del Maestrazgo. Pero el sentido se extiende a todos los sucesos que se narran:

Serio, profundamente serio es cuanto digo, si aceptamos la ficción de hallarnos en plena Edad Media. Prepárese usted, si persiste en entrar en el país, a ver milagros y hazañas, casos inauditos de santidad o sortilegio, brujas, duendes, apariciones, subterráneos que empiezan en un castillo y acaban en un monasterio a siete leguas de distancia; verá usted hombres feroces, hombres heroicos, mujeres endemoniadas o angelicales... (E II, 824-825).

Más interesante aún es el procedimiento cervantino de Galdós de componer la misma conseja de que los personajes hablan. Don Beltrán de Urdaneta, como el rey Lear de la mítica Edad Media shakesperiana, ha sido desalojado de sus palacios por don Rodrigo, su hijo, y su nuera a quien el noble denomina *doña Urraca*, para aludir a su actitud de ave de rapiña pero también para jugar con la pareja de nombres que recuerdan a los del Cid y la reina castellana, asociados amorosamente según la versión popular de la leyenda cidiana. En su peregrinaje doloroso, el buen anciano, en cuya memoria brillan todavía las luces de las edades heroicas, cae en las zonas de depredación del carlismo y se vincula entonces con Nelet, guerrillero de la facción, con Marcela, pastora agreste y dulce ermitaña de la que Nenet anda enamorado, y con los sepultureros que acompañan a Marcela para dar tierra santa a tanto cadaver disperso. Prisionero de Cabrera, que lo mantiene como rehén, don Beltrán atestigua los horrores de la campaña pero también el trato hidalgo que el general es capaz de brindarle. Cabrera está en el momento culminante de su poderío militar; su heroicidad se ha transformado ya, después del fusilamiento de su madre, María Griñó, en ferocidad salvaje. Galdós se hace eco de la fantasía popular que ha convertido a Cabrera en un tigre sanguinario en apariencia y en conducta.[3] Nelet asedia a Marcela y pide consejos al donjuanesco don Beltrán, pero ni con ellos logra vencer la fortaleza del ascetismo religioso que la atractiva campesina se ha impuesto. La santa mujer se transfigura también en bestia salvaje cuando acosada impertinentemente por Nenet lo acuchilla con la misma arma con que de inmediato se infligirá la muerte. El final de la tragedia es el de una obra romántica como el *Don Alvaro o la fuerza del sino* del Duque de Rivas: el mismo simbolismo del paisaje, el mismo tipo de personajes (caballeros, guerreros, emitaños), y los mismos contrastes entre pasión y religiosidad, amor y muerte.

La historia que se cuenta es *romancesca* o si se quiere romántica; pero su riqueza no reside en el bien pensado

---

3. En mi *Ideología del folletín español: Wenceslao Ayguals de Izco (1801-1873)*. Madrid, Porrúa y Turanzas, 1979, comparo en págs. 134-141, *El tigre del Maestrazgo* de Ayguals con el *Episodio* de Galdós.

argumento sino en la perfección de los detalles que crean la *conseja* medieval pretendida.

Las acciones tienen lugar en un marco de naturaleza bravía: cascadas, cerros enhiestos, altozanos, quebradas, hondonadas, todo sumido en la niebla. Entre las peñas de ese decorado teatral se descubren castillos, monasterios, iglesias y ermitas, cobijada una de ellas bajo una encina que parece partida por un rayo. Cuando se trata de una ciudad, tropezamos con un espacio ya determinado y compuesto para que las acciones ocurran de cierto modo:

> A la luz crepuscular, los esquinazos góticos y mudéjares parecían bastidores de teatro, dispuestos ya, con las candilejas a media luz, para empezar el drama. Resonaban las herraduras de los caballos en el pedernal de las calles, levantando chispas, y el ruido de tambores jugaba al escondite, sonando aquí, apagándose allá, en los dobleces de la edificación, y volviendo a retumbar a retaguardia de la tropa. Las plazuelas se unían por pasadizos, y las calles se retorcían unas sobre otras, obscuras, ondulantes. Soldados y algunos viejos se veían discurriendo por las calles; mujeres en algunas puertas...(E II, 819).

Los personajes se desprenden de la decoración misma cual figuraciones plásticas propias de la idealidad del arte más que de la realidad histórica. Marcela tiene un rostro semejante a "una efigie secular, cuyo barniz el tiempo ha oscurecido, dándole una dulce pátina con vislumbre sienoso" (E II, 827). Su pie parece, al asomarse desnudo bajo el sayal, el pie de una talla representando a una penitente, con "el color de la antigua caoba" (E II, 827) Joreas describe a Marcela "como figura de retablo" (E II, 817), vestida con su sayal de penitente, su saco y el cabello suelto, "como pintan a la Magdalena" (E II, 817). Galdós va más lejos aún. Sus personajes son figuras talladas en madera que adquieren de pronto vida independiente. Cuando Nelet observa los bajos relieves de la abadía cisterniense de Benifazá, descubre en ellos el relato de sus aventuras:

> ¡Ay, aquí veo mi propia historia!... No, no se ría: es mi historia que aquí representaron aquellos artífices algunos siglos antes de que yo viniera al mundo.
> —¿Qué ves hijo?
> —En este capitel del ángulo, por la parte de dentro, veo un guerrero que adora a una penitente. Él está de rodillas: ella, en la tosquedad de estos relieves, ofrece gran semejanza con Marcela, los pies desnudos, suelto el cabello... En el capitel de fuera se ve la misma peregrina, con una cruz... Yo no estoy aquí...parece como si me hubiera ido... Debo de estar más allá... Déjeme ver... aquí no estoy; forman el adorno unos como perritos o leoncitos, y luego sigue otro con cabezuelas de ángeles, entre las púas retorcidas de cardos borriqueros...¡Ah, ya parecí!... aquí estoy, en este otro capitel, y me tiene cogido por el pescuezo el Demonio que se permite conmigo sus bromas cargantes... Sigue otro en que hay muchas mujeres chiquitas, desnudas, entre llamas, que aún son las hembras que deshonré y perdí y por mi culpa están en el Purgatorio o en el Infierno...
> —Hombre, no saques las cosas de quicio. Será otra leyenda que nada tiene que ver contigo... ¿Qué hay más allá?
> —Pues un caballero con cruz en el pecho, como de templario, con un cuerno de caza en el cinto, en la una mano una pica y en la otra un halcón.

–Caballero noble... Ese soy yo... No me niegues que puedo ser yo.

–¿Cómo he de negarlo, si hasta se le parece en lo airoso de la figura?... pues en el rostro tiene un cierto aire... (E II, 861-862).

Como figuras del antiguo retablo, los personajes visten ropajes desacostumbrados, pellizas, sayales y hasta pieles de oso. Cuando los sepultureros cavan las tumbas blandiendo palas y hoces, apenas iluminados por la luz mortecina de las farolas depositadas sobre la tierra, paracen figuras de una *danza de la muerte*. Se ha perdido ya toda dimensión histórica. En sa guerra que Galdós compara con las contiendas fabulosas entre animales de pluma y de pelo (E II, 865), no importa quiénes vencen ni quiénes son vencidos. Es un holocausto mítico; la sangre derramada por entre esas piedras produce nuevos guerrilleros que se suceden a los anteriores en un proceso mágico de generación espontánea. Estamos en el reino pleno de esa *poesía ruda y libre* a la que antes se aludía. Galdós se ha librado por completo de toda causalidad realista y, tras las huellas de Cervantes, crea decididamente personajes y situaciones en los que nada importan ya los señalamientos precisos. La vida está entregada al azar de los caminos, al encuentro fortuito, a las consecuencias de la aventura. Las posadas, como el parador de Viscarrués, se tornan encrucijadas de "caravanas" casi irreales, "la una que venía del Oriente, huyendo de la guerra, la otra de Occidente, que hacia la guerra iba" (E II, 802). En ese parador escucha Beltrán los relatos de las atrocidades de la facción y medita sobre el destino de una *raza* cuyos hijos se han tornado maestros de las fieras en su crueldad. Un personaje simbólico, loco de la guerra y por la guerra, sintetiza allí las características del conflicto cuando pronostica a sus enemigos suplicios inverosímiles como si fuera un fantasma shakesperiano de destrucción y sangre.

El arte de Galdós está en su ápice. La comida de Burjasot es una escena maestra de festín diabólico que parece por momentos una bacanal de Brueghel "el Viejo" o del Bosco (E II 846-847). Como en un retablo alegórico, vemos simultáneamente dos paisajes, el pastoril y paradisíaco de la vega y el de la montaña y asistimos al mismo tiempo a escenas contrapuestas: en una de las tablas, los soldados acarrean sobre los hombros frutas y verduras provenientes del valle, pellejos de vino y zafras de aceite, mientras en la otra tabla vemos simultáneamente el fusilamiento de prisioneros y el hacinamiento de los cadáveres en la huesa común. El novelista, con la magia de su arte, nos ha retrotraído, para mejor simbolizar hechos tan bárbaros, no sólo a la Edad Media sino a una era geológica, primitiva, prehistórica, anterior a los orígenes de la raza.

II. Pero esa no es toda la Edad Media que Galdós conoce y evoca. Hay otro aspecto de la España medieval que valora de modo absolutamente positivo. En la España anterior a los Reyes Católicos convivían bajo un sistema de tolerancia hombres de distintas ideas y de credos religiosos diferentes. No sólo se aceptaban las religiones musulmana y judía junto al cristianismo sino que también se respetaba la naturaleza dual del hombre en los extremos de la más fina espiritualidad y del más depurado sensualismo. Esa Edad Media apenas si se advierte en la fisonomía del espíritu español decimonónico pero en cambio se proyecta luminosamente hacia el futuro en el sueño utópico de la Religión de la Humanidad. Galdós no lo dice tan directamente pero, como ocurre siempre en sus ideas, lo expresa con toda claridad al dar cuerpo y vida a su pensamiento en el contexto de sus novelas. La figura literaria que representa mejor ese aspecto de la Edad Media española es el Arcipreste de Hita. Galdós hace de la personalidad del Arcipreste y del *Libro de buen amor* el eje sobre el que se moldean personajes y situaciones que de algún modo simbolizan el ideal krausista de la tolerancia humana.

Para poder apreciar la originalidad de sus pensamientos en este sentido conviene recordar que la obra del Arcipreste de Hita, apenas conocida antes de la edición de Tomás Sánchez en 1790 y poco divulgada con anterioridad a la reedición de Eugenio de Ochoa en 1842, suscitó sin embargo, y ya en fechas tan tempranas, polémicas similares a la provocada modernamente con la reinterpretación de Américo Castro en *España en su historia: Cristianos, moros y judíos*, en 1948. El texto de Sánchez desvirtúa la opinión de Jovellanos en su informe a la Real Academia de que las obras del Arcipreste de Hita debían publicarse sin enmiendas. Sánchez corrige el texto y lo expurga de escenas o de referencias escabrosas. Ni Florencio Janer en 1864, ni Jean Ducamin en 1901 reconstruyen el texto original. [4]

Jovellanos, al pretender una edición sin cambios, y el presbítero Sánchez al corregir los textos obraban sin saberlo señalando las líneas ideológicas en que se divide posteriormente la crítica a la obra del Arcipreste. Los críticos tradicionalistas oscilan entre la valoración del *Libro de buen amor* como una moralidad medieval escrita por un buen clérigo cuyo ocasional disfraz de hombre sensual y andariego responde más a una convención literaria que a su personalidad

---

4.   El texto de la edición de Tomás Antonio Sánchez (*Colección de poesías castellanas anteriores al siglo XV*. Madrid, 1970, vol. IV) es la base de las demás hasta la moderna edición de Joan Corominas. Madrid, Gredos, 1967, que se acerca más al texto original; esta última es la que utilizo en las confrontaciones y citas. Galdós debió conocer el texto de Sánchez, que reiteran Eugenio de Ochoa (París, 1842) y con muy pocas modificaciones Florencio Janer (*Biblioteca de autores españoles*. Madrid, 1864, vol. LVII). Es menos probable su lectura directa de la edición llamada paleográfica de Jean Ducamin. Toulouse, 1901.

real, o la valoración casi contraria, de constituir un libro cuyas desvergüenzas implican la existencia de un autor de escaso sentido moral, de un clérigo que deshonra el carácter de su investidura. Ticknor es el primero en señalar que la mezcla de devoción e inmoralidad aparente era característica de época, como se observa en la comparación entre el libro del Arcipreste y *The Canterbury Tales* de Chaucer. [5] Supera a Ticknor en este y en otros juicios Menéndez y Pelayo, cuyo excelente estudio sobre el Arcipreste en la *Antología de poetas líricos castellanos* debió ser leído por Galdós hacia 1891. [6] Menéndez y Pelayo es mucho más generoso y amplio que los críticos tradicionalistas en la medida en que no se siente en la obligación de disculpar los excesos del clérigo: así se expresaba la clerecía baja de su tiempo. El gusto en el Arcipreste por lo sensual y escatológico puede derivar también de sus fuentes latinas, especialmente del *Pamphilum de Amore* de Ovidio, presente también en *La Celestina*. Menéndez y Pelayo considera al Arcipreste como creador de un realismo literario del que serán herederos el bachiller Fernando de Rojas y Cervantes. Y quizá también los novelistas modernos, ya que doña Endrina le parece un personaje de Juan Valera. Nadie había mostrado hasta entonces tanta simpatía por el poeta medieval y tan inteligente comprensión de sus valores literarios.

Tanto los tradicionalistas como los liberales reconocen la importancia de Hegel en la nueva lectura de los textos literarios que permite no sólo entender el fondo esencial de cada

---

5. George Ticknor en su *History of Spanish Literature*. London, 1849, vol. 1. En la edición española de Buenos Aires, 1948, pág. 104.
6. En esa fecha aparecen los dos primeros volúmenes de la Antología y Valera los comenta de inmediato, reflejando la favorable reacción de los lectores cultos, en *Nuevas cartas americanas, Obras completas,* Madrid, Aguilar, 1958, III, pág. 422.

obra sino también comprenderla como la realización objetiva de un momento del Espíritu nacional. No es extraño pues que los krausistas hallen en el Arcipreste de Hita el mejor ejemplo de una contradicción dialéctica entre el ascetismo cristiano por una parte y el sensualismo oriental por la otra. El krausista Francisco Fernández y González, uno de los más destacados arabistas de su tiempo, va todavía más lejos al considerar al Arcipreste como a un español arabizado que evidencia la fusión de las dos culturas, la árabe y la cristiana, y al entender el *Libro de buen amor* como una obra que reproduce la estructura de las *maqamat* semíticas. Lo dice en el discurso leído ante la Real Academia Española, *Influencia de la lengua y letras orientales en la cultura de los pueblos de la Península Ibérica,* en 1884; Galdós conservaba ejemplar del folleto en su biblioteca particular de Santander.[7] Las ideas de Fernández y González son acerbamente discutidas en el mismo acto por Francisco A. Commelerán y Gómez para quien poco hay de verdadero en el discurso que comenta: los españoles consideraron siempre a árabes y judíos como enemigos de su religión y de su raza y en esas condiciones poco influjo pudo haber de unas culturas en la otra. El Arcipreste de Hita no es más que un clérigo arriscado y maleante que gusta reflejar los aspectos menos valiosos de la vida popular, y no puede ser por consiguiente paradigma de un fenómeno cultural tan complejo.[8] Menéndez y Pelayo,

---

7. Según el testimonio de H. Chonon Berkowitz, *La biblioteca de Benito Pérez Galdós. Catálogo razonado precedido de un estudio*. Las Palmas. El Museo Canario, 1856, el folleto no está autografiado y las hojas están cortadas, lo que puede ser índice de que Galdós se procuró el ejemplar y lo leyó, si es que esos datos pueden interpretarse así.

8. "Contestación al discurso...", en *Discursos leídos ante la Real Academia Española en la Recepción Pública de D. Francisco Fernández y González*. Madrid, 1894, págs. 99-101. Es el mismo folleto al que me he referido antes. Ese Comelerán y Gómez es el

que ha sido alumno de Fernández y González, critica el discurso con menos hostilidad en su estudio *De las influencias semíticas en la literatura española*, que es en verdad un comentario sobre las ideas del arabista. Para Menéndez y Pelayo existe en la interpretación de Fernández y González, y en el juicio de su oponente, exageraciones originadas por la adhesión ideológica o partidista:

> Pero cuando la pasión religiosa o política se mezcla en estos asuntos, y viene en ayuda de la pereza histórica, los errores se endurecen y hacen callo en la voluntad y en el entendimiento, matando hasta el deseo de la verdad, que es natural impulso de todo espíritu sano. Hay hombres que, en obsequio de sus principios doctrinales, se creen obligados a negar toda cultura a los árabes, considerándolos como unos bárbaros feroces: hay quien, por el extremo contrario, niega toda civilización propia a la Europa cristiana y sólo a los árabes considera como maestros universales que disiparon las tinieblas de la barbarie. Grandes temas de Ateneo o de Juventud Católica, aunque afortunadamente van ya pasando de moda...[9]

Acepta con elogio las noticias que sobre el habla árabe y las costumbres mahometanas reflejadas en el *Libro de buen amor* nos proporciona Fernández y González, pero se ve obligado a salvar que:

"oscuro profesor de latín" (Berkowitz, *Pérez Galdós. Spanish Liberal Crusader*. Madison, University of Wisconsin Press, 1948, págs. 227-228) que gana el sillón de la Academia en 1899 cuando Galdós era también candidato.
9.   La edición nacional de las *Obras completas* lo recoge en *Estudios y discursos de crítica histórica y literaria*, Madrid, Consejo Superior de Investigaciones Científicas, 1962 VI-I, pág. 199.

No voy tan lejos como el señor Fernández y González, cuando supone que el libro de los amores del Arcipreste está compuesto en forma de *macama* y a imitación de las *macamas* árabes y judías.[10]

Américo Castro saca partido de las ideas de Fernández y González y no lo reconoce del todo. María Rosa Lida, al apoyar la interpretación castrista del Arcipreste, se basa en las opiniones del arabista decimonónico para asentar su estudio de la estructura del poema como imitadora de las *maqamat* hebraicas. María Rosa Lida, siempre tan atenta al fenómeno de la creación literaria del siglo XIX, cita en el mismo contexto a Galdós.[11]

Galdós ha mostrado temprano interés en estudiar los elementos árabes y judíos que constituyen caracteres permanentes del espíritu español, desde *Gloria* por lo menos. Gloria considera que ha sido errado el camino de la historia española desde que una pretensión de unidad territorial y religiosa obliga a los Reyes Católicos a la expulsión de árabes y de judíos del suelo de la patria común; y ése es el origen para ella de la intransigencia actual de la que será víctima más o menos inocente. No es extraño que en *Gloria* aparezca, por primera vez, un personaje construido con reminiscencias del Arcipreste.

---

10. *ut supra.*
11. *Two Spanish Masterpieces. The Book of Good Love an the Celestina.* Urbana, The University of Illinois Press, 1961 (Illinois Studies in Language and Literature, 49), pág. 8. José Rubia Barcia estudió además, en fechas anteriores a la obra de Castro, las fuentes musulmanas del Arcipreste, especialmente *El Collar de la Paloma* de Ibn Hazm. Véase su "El amor en el mundo iberoarábigo" (1940), recogido ahora en *Memorias de España*. Valencia, Pre-Textos, 1989, págs. 70-82.

El cura de Ficóbriga, don Silvestre Romero, es el primer sacerdote ideal que Galdós imagina como símbolo de tolerancia. Presenta al mismo tiempo una profunda fe religiosa y una extremada sensualidad, sin que exista un conflicto entre ambos extremos. Es esa falta de conflicto lo que torna singular al personaje y lo hace simpático. Galdós describe a don Silvestre como:

> Hombre proceroso, fornido, de fisonomía dura y sensual como la de un emperador romano, pero muy simpático y francote (N I, 528).

Es don Silvestre quien salva del naufragio a Morton. Al relatarse ese episodio, se completa su retrato:

> Era don Silvestre joven, sanguíneo, fuerte, grandullón de cuerpo, animoso hasta la temeridad, ambicioso de aplausos y ganoso de estar siempre en primera línea. Gran amigo de sus amigos, y al propio tiempo muy alegre, muy rumboso, vivísimo de genio, generoso y de trato galán y campechano con grandes y pequeños. En la iglesia, las hembras le querían mucho, porque predicaba con alta entonación, con dramático y pintoresco estilo; los varones también, porque despachaba la misa en un momento... (N I, 545).

Los feligreses elogian la presteza, una presteza "que enamora", con que cumple las ceremonias rituales y pronuncia sus latines.

Nada de esto merecería traerse a colación si no insistiera Galdós más adelante en otros aspectos del personaje que lo asocian más estrechamente con su modelo. Este cura de naturaleza sanguínea, fornido y atlético, de voz, sino *tumbal*, dramática y estentórea, dedica preferentemente sus ocios a la caza y a la pesca. En el inventario de su "arsenal venatorio y piscatorio" se entrecruzan elementos y reminiscencias de Pereda, tan presente en las novelas de esta época hasta *Marianela*, según lo veré en otro capítulo, pero se anuncia ya al mismo tiempo la cercanía del texto del Arcipreste:

> Escopetas, carabinas, cuchillos, trampas, mil artificios ingeniosos, ora aprendidos, ora inventados por su propio genial cacumen, y que tenían por objeto apoderarse de la mitad del reino volátil, ocupaban una regular pieza. En la otra no faltaba ningua execrable máquina de las que arrancan del seno de las aguas todo lo nadante. Cañas, líneas, aparejos, diversos linajes de anzuelos, garabatos, pinchos y agujas, los unos para la merluza, los otros para el calamar; moscas artificiales para las pobre truchas de los regatos, garfios para los salmones de los ríos, guadañetas para los calamares, y además redes, chinchorrios, trasmallos, mediomundos, palangres; todo lo guardaba aquel Nemrod de la tierra y los mares (N I, 545).

Hijo montaraz de los Picos de Europa, don Silvestre, como el Arcipreste, recorre terrenos abruptos, quebradas, riscos y desfiladeros. y en su afán venatorio hasta desafía a los terribles osos. En su finca de campo, el Soto de Briján, posee un corral y un establo llenos de

> *animalia pusilla cum magnis*, de cuanto Dios creó: pavos, gansos, gallinas de diversos linajes, vacas de leche, conejos, cerdos gordísimos, a quienes don Silvestre solía rascar con la punta del bastón (N I, 547).

Es en los festines de don Silvestre donde se advierten con mayor claridad los rastros del realismo plástico del Arcipreste:

Viérais allí la sopa de arroz calduda, que bastaba por sí sola a dejar ahíto al mas hambriento, y después, los pollos con tomate, precediendo a las magras también entomatadas, para hacer lugar a los finísimos pescados cantábricos, en picantes escabeches o nadando en salsas ricas. Entre ellos venían las bermejas langostas, mostrando la carne como nieve dentro de la destrozada armadura roja, y los sabrosos percebes, como patas de cabra; y luego volvía el imperio de la carne, representado en piezas adobadas del animal que mira al suelo; siguiendo a esto chuletas con forro de fritura y otras viandas riquísimas y olorosas, acompañadas por delante y por detrás de aceitunas, pepinillos, rajas de queso flamenco o del país, anchoas, y demás aperitivos, sin que faltaran calabacines rellenos, en los cuales no se sabía que admirar más, si el especioso sabor del alma o la dulzura del cuerpo, y también gran copia de colorados pimientos, que como llamas de fuego iban de boca en boca (N I, 584).

En esta descripción, como en otras descripciones de comidas, podemos encontrar sin duda antecedentes pictóricos; el mismo Arcipreste asienta su descripción en modelos de ese tipo. Pero sin la lectura del Arcipreste no lograríamos dar al texto de Galdós el exacto sentido.

La presentación de manjares propia de cualquier festín se transforma, por la influencia del Arcipreste, en un animado desfile en el que los *pescados cantábricos* o las *bermejas langostas* "vienen" y no se traen, como ocurre también en el poema del Arcipreste: "Vino luego en ayuda la salada Sardina" o "vienien las grandes mielgas" o "venían las anguillas salpresas y trechadas". Las *bermejas langostas* de Galdós, oriundas sin duda del Cantábrico, son las mismas que menciona el Arcipreste: "De Sant Ander vinieron las *bermejas langostas*". El texto medieval proporciona además los recursos de estilo que permitirán a Galdós concebir imágenes similares a las de su modelo: "la carne como nieve dentro de la destrozada armadura roja", ruina guerrera al mismo tiempo que desecho el festín.[12]

El tipo físico de don Silvestre y esas descripciones no compensan sin embargo la falta de uno de los caracteres importantes del clérigo en el *Libro de buen amor*: su atracción por el sexo femenino. Este elemento parece deliberadamente eludido por Galdós durante mucho tiempo quizá para evitar mayores conflictos. Pero en 1884 va a enfrentar, al mismo tiempo que Clarín, tan espinoso problema, al presentar audazmente la relación amorosa de un sacerdote en *Tormento*. El personaje de Pedro Polo, que es el que interesa, nace sin embargo en 1883, en los primeros capítulos de *El doctor Centeno*. Y aparece en medio de una comida de características muy similares a la presidida en *Gloria* por don Silvestre. El pobre Felipín, debilitado por el hambre, escucha las voces y ruidos del banquete que se desarrolla en la sala próxima con la presencia de Pedro Polo y de Amparo. No se describe el festín pero sí los efectos que los vapores de la comida, transpuestos de cuarto a cuarto, y esas voces provocan en el hambriento joven, en una magistral escena, casi buñuelesca, en que los detalles se agrandan como vistos bajo lentes especiales:

> Felipe oyó hablar de Jerez, de empanadas de anguilas, de capones cebados, de escabechadas truchas, con infinitos comentarios y opiniones sobre cada una de estas cosas. (N I 1320).

---

12. En la edición de Corominas, págs. 435-437. Sobre los arabistas del siglo XIX, ver además James T. Monroe, *Islam and the Arabs in Spanish Scholarship (Sixteenth Century to the Present)*. Leide, E. J. Bulla, 1970, págs. 50-83.

Pedro Polo es, como su antecesor, hombre sanguíneo, y de naturaleza fuerte y voluptuosa... Su gran apetito se evidencia una vez más cuando en su propia casa sirve a sus amigos un refresco matizado con "bizcochos, mojicones, bartolillos, pasteles, mazapanes y otras menudencias" fabricadas por manos monjiles. Con intención erótica, el cura intenta hacer comer ahora a Amparo el *pebre picante* y *fuertecito* que da gusto al cabrito adobado (N II, 1384). El erotismo de Pedro Polo se pinta más claramente en *Tormento* donde hay varias escenas en que intenta repetir la seducción de Amparo. No hay sin embargo un tratamiento simpático del personaje en este aspecto ni hay alegría en su vida exultante. Tanto el cura como su amante tienen más bien la dimensión patética y trágica de personajes de Dostoyevsky. La pasión sexual es la maldición que pesa sobre la investidura sacerdotal de Pedro Polo. El seductor reza, impreca, jura, ruega, implora, maldice. Hombre robusto y gigantesco, parece por momentos una fiera, con su ropa de paño pardo y su gorra de piel de conejo. Intenta ejercer violencia sobre Amparo pero también llora ante sus negativas. Hay autenticidad en su pasión: la cercanía de Amparo lo estremece y la ausencia de caricias lo hunde en el dolor más hondo. El conflicto entre educación religiosa y naturaleza sensual llega en Galdós a mayor profundidad psicológica y dramática que en Clarín.

Polo comparte su casa con una criada celestinesca, llamada, no por casualidad, Celedonia. No trota conventos, pero sí sacristías:

> Era madre de sacristanes, tía y abuela de monaguillos, y había desempeñado la portería de la Rectoral de San Lorenzo durante luengos años. Sabía de liturgias más que muchos curas, y el almanaque eclesiástico lo tenía en la punta de la uña. Sabía tocar a fuego, a funeral, a repique de misa mayor, y era autoridad de peso en asuntos

religiosos...Su gusto era callejear y hacer tertulia en casa de las vecinas (N II, 52).

Aunque el modelo de Trotaconventos está un poco lejos de la pintura del personaje, podemos sin embargo reconocer ciertos hilos en su entramado que recuerdan a la *vieja* del Arcipreste. Cuando Amparo vuelve a la casa de su seductor, más atraída por él de lo que el personaje se confiesa a sí misma, Celedonia pondera el estado de ánimo de Polo y de inmediato deja campo libre a los amantes:

> —Aquí no viene nadie, hija... Está solo y dado a los demonios. Adelante. No tiene nada, nada más que soledad y tristeza. Le digo que pase y no quiere... Pase, pase. ¿A qué viene ese miedo? Ahora que tiene compañía, me voy a casa del tintorero.

Celedonia no sirve para el cuidado de la casa; sólo servicios como ése pueden explicar la extraordinaria ternura que por ella siente el sacerdote (N II, 50). Cuando a punto de morir de su agravada ciática, Celedonia yace imposibilitada de movimiento, Pedro Polo la atiende con fina solicitud y la consuela con dulces palabras. Como el Arcipreste ante la muerte de Trotaconventos, valora exageradamente las virtudes de su *viejecilla*.

La figura del Arcipreste de Hita va a cobrar nuevo sentido en Galdós cuando, tras la lectura del discurso de Fernández y González en 1894, se interese por explorar el fondo semítico del alma española, impulsado en parte por sus amores con Ruth Morell.[13] Puede rastrearse ese creciente interés en las novelas y *Episodios* que van desde *Misericordia* (1895) hasta *El caballero encantado* (1913). En *Carlos VI en*

---

13. A.F.Lambert, "Galdós and Concha-Ruth Morell", en *Anales Galdosianos* (en adelante, AG), VIII, 1973, págs. 33-49. Los amores de Galdós y Concha duran desde 1881 hasta 1900.

la Rápita, 1905, Galdós relata la vida de un cura carlista que reproduce sin saberlo el personaje características de la figura y las acciones del Arcipreste. Se trata de Juan Ruiz, llamado *Mosén Hondón* o *Juanondón*, Arcipreste de Uldecona, "descendiente del de Hita." (*España trágica*, N IV, 382). Juanondón sigue por un lado el modelo del Arcipreste y por otro tiene un inmediato paralelo en el español arabizado El Nasiry de *Aita Tettauen*. En ese Episodio sabemos que Mohamed-Ben-Sur-El Nasiry es en verdad Gundisalvo o Gonzalo Ansúrez, hermano de la bellísima Lucila; Gonzalo se aposentó en Marruecos, adquirió nombre, apariencia y lenguaje árabes, y prosperó hasta enriquecerse con el comercio de lanas, almendras y pieles que sus recuas de camellos transportaban desde Tafilete a Tetuán. Santiuste, llamado también Confusio, abandona el ejército español y se oculta en la judería marroquí donde conoce a El Nasiry que lo lleva a su casa con la expresa condición de no comunicarse con las mujeres de su harén. Confusio se ve de pronto envuelto en una aventura oriental propia de las *Mil y una noches*, o de las *maqamat* dadas a conocer por Fernández y González. Una de las cautivas de El Nasiry le hace llegar un misterioso billete en que pide el rescate de su cruel esclavitud. Nunca sabremos si se trata de la bellísima princesa oriental que imagina Confusio o de la fea y desconsiderada loca que describe El Nasiry. Cuando Santiuste regresa a España, es enviado en misión secreta a Uldecona, comarca donde el rey carlista, Carlos VI, permanece oculto. En una encrucijada de los caminos cae prisionero de una tropa de facciosos encabezados por Mosén Hondón, que reconoce la validez de sus papeles y lo lleva a su masada o casa de campo en Rosell de la Cenia. El confortable caserón está atendido por varias mujeres, entre ellas Donata, una bella campesina de la que Santiuste se enamorará. El Arcipreste de Uldecona nos cuenta su historia: nacido en Alcalá de Henares, en la misma ciudad que Cervantes "el portento de la literatura" (N III, 393), obtiene las órdenes sagradas en Teruel hasta recaer en ese Arciprestazgo. Vive lindamente con el legado que le dejó al morir un pariente materno. Mientras habla, come y bebe con fuición y alegría; Santiuste se da cuenta entonces de que esas mujeres que sirven la mesa incesantemente, viejas unas y jóvenes y bellas las demás, tienen con el Arcipreste una relación más íntima que la que el decoro sacerdotal permite. En un sueño posterior advierte que Donata es la versión cristiana de Erhino, la esclava de El Nasiry, y que el "fiero sultán Mosén Hondón" (N III, 395) reproduce a su vez la figura y actitudes del español arabizado. Cuando Confusio interroga a Juanondón "arcipreste, patriarca y califa" (N III, 397), sobre la indentidad de esas misteriosas mujeres, éste confiesa que son protegidas que le prestan todo tipo de servicios; y lo afirma con un evidente cinismo:

> Algunas tengo –dice– que se inclinan a la beatería; pero a éstas hay que dejarlas en su gusto de lo espiritual y no quitarle de la cabeza las devociones extremadas, porque con el pío pío del rezar continuo llegan a ser unos pobres ángeles y de los ángeles hace uno de que quiere (N III, 396).

El Arcipreste de Uldecona es hombre sin embargo de sincera devoción religiosa. Dice la misa algo apresuradamente, como don Silvestre, pero con gran sentido de la poesía, la unción y la solemnidad del rito. En sus horas de devoción repite oraciones aprendidas de su madre que no son otras que los *Gozos a la Virgen* del Arcipreste de Hita, a quien el de Uldecona, hombre de pocos libros, apenas conoce:

> Las oraciones que acaba de recitar –le dije– son del Arcipreste de Hita, varón docto, muy devoto de Nuestra Señora, poeta y sabio, aficionadísimo al buen vivir y al trato de mujeres, según él mismo nos cuenta en su magno *Libro del buen amor*.

Menos en lo de acaudillar tropas y andar en guerra contra cristianos usted y él en todo entiendo yo que se parecen y para completar la semejanza, el de Hita era, como usted, hijo de Alcalá de Henares, como usted, Arcipreste, y también se llamaba Juan Ruiz (N III, 406).

El de Uldecona anda también en enredos con una Trotaconventos como él mismo la llama; es en verdad, la Tía y entregadora de Donata (N III, 403). Santiuste escapa con Donata y cuando el Arcipreste los descubre embarcados en mitad del río en vez de castigarlos los perdona y exonera de pecados.

De lo que se dice y de las burlas de Galdós en el texto de esta novela se desprende su idea de que el carácter del Arcipreste de Hita, originado por la influencia de dos sangres y de dos culturas, se repite con frecuencia en la vida española en que suelen darse al mismo tiempo las desbordadas apetencias de los sentidos y la profunda devoción religiosa.

En otro Episodio, *Amadeo I*, reaparece un eco lejano del *Libro de buen amor*: Facunda, montañesa desgarbada y robusta, voltea de una zanjadilla, "con vivo juego de infancia campesina", al desprevenido amante que trata de ceñirla en sus brazos. El amante cuenta así el suceso:

> ...me volvió a dejar tendido y sin gobierno de mis piernas, y cuando yo, vencido y maltrecho, pedía misericordia, me increpó y vilipendió con horroroso traqueteo de frases de burla en vascuence. (N. IV, 536).

Aunque no lo carga en hombros como la de Gadea al de Hita, la serrana punza a su prisionero con una vara obligándolo a caminar delante de ella mientras en la misma lengua exclama:

> Vean, vean el cochinito que he comprado en la feria... Cochinito arre...; arre, *charrichu* (N IV, 538).

Los inquietantes curas galdosianos moldeados sobre el texto del Arcipreste, representan de algún modo el principio de tolerancia con la naturaleza del hombre que es primario y básico para desarrollar la tolerancia con respecto a los semejantes. De allí que el recuerdo del Arcipreste se asocie con la utopía final de las novelas de Galdós.

Misericordia, anterior en algunos años a los *Episodios* recientemente citados pero perteneciente al mismo período, expresa claramente el sueño utópico de respeto por las diversas creencias religiosas y por los diversos caracteres humanos en el marco del amor por la Humanidad independiente de los credos organizados. El personaje de Murdejai o Almudena recoge en su muy elaborada figuración artística junto con los elementos de una realidad detalladamente estudiada, otros elementos simbólicos que nos transportan a los orígenes cristianos, moros y judíos de la raza española. Su lenguaje es el típico de los judíos arabizados del Sur, y reproduce arcaísmos del tiempo de la diáspora ocurrida en 1492. Almudena y Benigna se asocian porque ambos aceptan que existe un solo Dios a pesar de la multiplicidad de creencias; y que ese Dios está presente en cualquiera de las tres religiones. El amor del hombre por el hombre no discrimina entre razas ni ritos religiosos. Se mantiene la supremacía del Cristianismo en cuanto es Benigna la representación misma de la bondad de Cristo.

Aunque las referencias directas a la Edad Media son casi nulas, el mundo de *Misericordia* evidencia que en el momento sincrónico que se refleja están presentes las esencias históricas del pasado. Dejando de lado las fuentes cervantinas y dickensianas, las escenas de pordioseros y de baldados parecen de nuevo figuraciones pictóricas de Brueghel y del Bosco, como esa triste y vivísima figurilla del mendigo desprovisto de piernas que guía a Benigna por los barrios bajos del Manzanares (N III, 759). En esos barrios bajos se observan escombreras y configuraciones casi rocosas, que Almudena identifica con el Monte Sinaí, y que constituyen un paisaje más simbólico que real. El ciego efectúa allí sus rituales mágicos y expresa su enloquecido amor con versos del *Cantar de los Cantares*. Sus salmodias religiosas, acompañadas a veces de música de salterio, son según Galdós "oraciones hebraicas en castellano del siglo XV" (N III, 761). En esos lugares, Benigna y Almudena parecen seres anteriores a la civilización y a la organización social: están insertos en el comienzo mismo de la raza. El paisaje simbólico, como ocurría en *La campaña del Maestrazgo*, sirve para enmarcar ese primitivismo, de sentido contrario al del *Episodio*:

> Trató de explicar la atracción que, en el estado de su espíritu, sobre él ejercían los áridos peñascales y escombreras, en que a la sazón se encontraba. Realmente, ni él sabía explicárselo, ni Benigna entenderlo, *pero el observador atento bien puede entrever en aquella singular querencia un caso de atavismo o de retroacción instintiva hacia la antigüedad, buscando la semejanza geográfica con las soledades pedregosas en que se inició la vida de la raza. ¿Es esto un desatino?* Quizás no (N III, 761).

No creo casual la caracterización de don Romualdo, el cura inventado por Benigna, como hombre robusto, amante de la caza, y Arcipreste además, si no de Hita, sí de Santa María de la Ronda, lugar cercano al de Hita y perteneciente a la misma Guadalajara de la que es Benigna oriunda (N III, 771). No se justificaría la detallada descripción, tan extensa además, de un personaje que, aunque fundamental, sólo aparece episódicamente. Don Romualdo es comparado con el *cedro* y, como ocurre en el caso del *melón* o la *endrina*, el término de la comparación sirve para referirnos a aspectos físicos y morales del personaje pero también como vehículo de una ironía humorística:

> No estará de más señalar ahora la perfecta concordancia entre la persona del sacerdote y su apellido Cedrón, pues por la estatura, la robustez y hasta por el color podía ser comparado a un corpulento cedro, que entre árboles y hombres, mirando a los caracteres de unos y otros, también hay concomitancias y parentescos. Talludo es el cedro, y además bello, noble, de madera un tanto quebradiza pero grata y olorosa. Pues del mismo modo era Don Romualdo: grandón, fornido, atezado, y al mismo tiempo excelente persona, de intachable conducta en lo eclesiástico, cazador, hombre de mundo en el grado que puede serlo un cura, de apacible genio, de palabra persuasiva, *tolerante con las flaquezas humanas*, caritativo, *misericordioso*, en suma, con los procedimientos metódicos que tan bien se avenían con su desahogada posición. Vestía con pulcritud, sin alardes de elegancia; fumaba sin tasa buenos puros *y comía y bebía todo lo que demandaba el sostenimiento de tan fuerte osamenta y de musculatura tan recia*. Enormes pies y manos correspondían a su corpulencia. Sus facciones bastas y abultadas no carecían de hermosura, por la proporción y buen dibujo: hermosura de mascarón escultórico, miguelangelesco, para decorar una imposta, ménsula o el centro de una cartela, echando de la boca guirnaldas y festones (N III, 773).

El sacerdote derivado del sueño caritativo de Benigna nada tiene que ver con los ascetas. Es una talla renacentista, un gigantón titánico de madera, la representación pagana casi de un dios de la naturaleza fecunda, de cuya boca emanan guirnaldas y festones.[14]

El sentido simbólico de *Misericordia* se aclara en este respecto con la lectura de uno de los últimos relatos de Galdós, *El caballero encantado*. Allí se asiste al surgimiento mismo del Espíritu español, al origen de la raza. Suárez de Almondar, o Carlos de Tarsis, está emparentado con los Suárez de Asur, "nombre semítico sin duda" y con los Aldomar, o Abo l'Mondar, que quiere decir en árabe "hijo del victorioso". Como dice Tarsis mismo, su origen procede de un "dichoso injerto de las ramas de Cristo y de Mahoma" (N III, 1020). La Madre, que es en realidad la Madre Patria, lo lleva a recorrer la geografía mítica de España y comenta durante el viaje los episodios de su propia historia. Un constante dolor aqueja a esa madre simbólica: la matanza de unos españoles por otros españoles, sean éstos cristianos o árabes. Recuerda emocionadamente la muerte de uno de sus mejores hijos, el caudillo Almanzor.

La antigua intolerancia se evidencia todavía, si no ya contra moros sí contra españoles de ideologías distintas. Tar-

---

14. Me he servido para este breve análisis de la bibliografía siguiente: Sara E. Cohen, "Almudena and the Jewish Theme in *Misericordia*", AG, VIII, 1973, págs. 51-61; Joaquín Casaluero, "Galdós: De Morton a Almudena", en *Modern Language Notes*, 79, 1964, págs. 181-187; J. Fradejas Lebrero, "Para las fuentes de Galdós", en *Revista de Literatura*, IV, 1953, págs. 319-344; Dena Lida, "De Almudena y su lenguaje" en *Nueva Revista de Filología Hispánica*, XV, 1961, págs. 297-308; Robert Ricard, "Sur le personnage d'Almudena dans *Misericordia*", en *Bulletin Hispanique*, LXI, 1959, págs. 12-25, reproducido en el libro *Galdós et ses Romans*. Paris, Centre de recherches de l'Institut d'études hispaniques, 1961; Joseph Schraibman, "Las citas bíblicas de *Misericordia* de Galdós", en *Cuadernos Hispanoamericanos*, 250-252, 1970-71, págs. 490-504.

sis y la Madre deben enfrentarse con carabineros que impiden reiteradamente su paso y al sufrir esa nueva prueba de intransigencia, la Madre envejece de modo súbito ante los asombrados ojos del caballero. No es extraño que la última aparición de esa figura goyesca por lo alegórico y lo trágico ocurra en la zona de confluencia de los ríos castellanos, Henares, Jarama, Jajuna, que llevan sus aguas al Tajo; en ese río la visión desaparece. Pero antes, los peregrinos han pasado por la ciudad de Alcalá de Henares y al ver sus murallas, la Madre, en cuya boca sólo ha surgido hasta ahora el nombre de un escritor, Berceo, asocia el nombre de Cervantes con el de "mi salado Arcipreste" (N III, 1120).

No sería difícil resumir ahora la idea que Galdós tiene de la Edad Media española. Época de guerras sangrientas fue también momento de una dimensión humana de extremada grandeza cuya expresión literaria es la poesía épica, ruda y primitiva. Antes de los Reyes Católicos, que impusieron la intolerancia religiosa, era también tiempo de coexistencia de razas y de religiones diferentes; la fusión de la cultura occidental con la oriental permitía una actitud más positiva y valiosa con respecto a la naturaleza dual del hombre que la del ascetismo filosófico. El Arcipreste de Hita es quien mejor expresa las características del mundo moral que resultó de esa confluencia. El espíritu del Arcipreste desaparece casi; en los siglos siguientes, Cervantes volverá a plantear el ideal de aceptación de la naturaleza humana. Pero será sólo con el cumplimiento de la utopía futura, con la realización del Ideal de Humanidad, que ese espíritu retornará y florecerá plenamente. La Edad Media es pues el pasado remoto de la raza pero también la semilla de un porvenir promisorio.

3. MISERABLES, PÍCAROS Y CELESTINAS

3. Miserables, pícaros y Celestinas.

Montesinos, al estudiar El doctor Centeno, formula la siguiente afirmación: "Galdós, como Cervantes, anduvo siempre rondando la picaresca sin entrar nunca en ella."[1] No

---

1.   Montesinos (*Galdós*, Madrid, Castalia, 1968, II, pág. 49) observa rasgos de la picaresca, pero entiende que nunca Galdós logró una "fórmula independiente" para ese tipo de novela. En el mismo párrafo del que extraigo la cita del texto agrega esta consideración: "Como en *La desheredada*, entrevió una novela neo-picaresca sobre el resentimiento proletario." En otro párrafo, en que se refiere a *El amigo Manso*, califica a Galdós como el descubridor de una picaresca política que hubiera podido producir grandes obras. (II, 194) Me parece inútil querer hacer del autor algo que no es: basta agregar que los seguidores hispanoamericanos de Galdós usaron muchas veces su enseñanza para la elaboración con sentido político de la novela picaresca, como ocurre en *El casamiento de Laucha* (1905) y *Las divertidas aventuras del nieto de Juan Moreira* (1910), del novelista argentino Roberto J. Payró. Sherman H. Eoff anticipa a Montesinos al entender que la influencia de la picaresca no es fuerte en Galdós, aunque hace interesantes comparaciones enntre *Lo prohibido* y el *Guzmán de Alfarache*. ("A Galdosian Version of Picaresque Psychology", en The Modern Language Forum, XXXVIII, 1953, págs. 1-12.) Para Shoemaker, en cambio,

es extraño que en los tres volúmenes de su libro confiera poca importancia a la presencia de la tradición picaresca en la obra de Galdós. Su afirmación tiene sentido si se entiende a la novela picaresca como unida a un pensamiento filosófico y a una concepción religiosa de la vida propia de los siglos en que se origina, con los que Galdós, y quizá Cervantes, no podían coincidir. Pero la picaresca es en otros aspectos una manifestación temprana de la novela social, y una estructura muy presente en el desarrollo de la narrativa del siglo XIX, sobre todo en los escritores tradicionalistas como Fernán Caballero y Pereda. Galdós no acepta a la picaresca como ideal novelístico, como tampoco acepta a la novela pastoril y a la literatura mística, pero en otro nivel crea constantemente personajes y situaciones que tienen relación con el antecedente picaresco. Aunque el *realismo* y el *idealismo* le parecen a Galdós contradicciones que la literatura moderna debe resolver, utiliza la picaresca como temprano exponente del realismo y del naturalismo novelesco cuando se trata de plantear ese aspecto de la contradicción.

Los miserables de Galdós (Caifás, Marianela, el doctor Centeno, Rufete, Almudena) siguen por un lado modelos contemporáneos, pero por otro se asocian con la picaresca española.

Galdós expresa con claridad su teoría sobre la picaresca precisamente en los años 1874 a 1876 en que medita sobre el género novelesco como expresión de la sociedad contemporánea. El poco simpático Lord Gray, personaje fundamental de *Cádiz*, une en su sueño social a pícaros y Celestinas, expresando ideas que según Galdós eran frecuentes entre los extranjeros que visitaban España. El noble

---

las semejanzas de *El doctor Centeno* con el *Lazarillo de Tormes* "are close and numerous" (*The Novelistic Art of Galdós*. Valencia, Edición Albatros de Hispanófila, 1980, II, pág. 188).

inglés ve la sociedad española como un mundo en reposo, sin cambio, benéficamente sumido en una "suprema estabilidad" (E. I, 915). Los conventos han contribuido a esa inmovilidad social al amparar a la población empobrecida y conferirle, además de asilo, una filosofía, "la religión del ayuno", que la confina en esa situación debilitando todo ímpetu tendiente a salir de ella. No existen atracciones externas que justifiquen la dirección de esa energía: el desprecio de las cosas terrenas ha anulado el sentido de propiedad, nervio promotor de cualquier avance. No atrae ni la posición, ni la representación, ni el nombre, ni la fortuna, ni la gloria. La desatención de los bienes terrenos produce por un lado a los pícaros y por el otro a los caballeros andantes. Lord Gray interpreta ese defecto como virtud y tomando en sus manos una escudilla, se une a los pobres que piden comida a la puerta del convento. Se relaciona allí con limosneros, rufianes, Celestinas y pícaros, que observa y describe desde la doble perspectiva de un lector de la literatura clásica española y de un compatriota de Dickens. Un anciano de vida piadosa y recogida se revela en verdad como un ladrón de doblones, cuando hurga los bolsillos de Lord Gray mientras relata vidas de santos. Los gitanos también son ladrones e informan a Gray sobre el modo de ejercitar su delictivo oficio. Dos niños lisiados, uno cojo y otro manco, le parecen al inglés dos pícaros o pilletes de los que se llaman, según se enumera eruditamente, *granujas* en Madrid, *léperos* en México, *lazzaroni* en Nápoles, *lipendis* en Andalucía, *pilluelos* en París y *pickpockets* en Londres. Los pícaros pertenecen pues a una fauna universal, aunque Galdós distingue, tiempo después, una distinta índole entre pícaros. El *lazzaroni* es astuto, pero no tiene la gracia ni el donaire del truhán español. En la corte de Amadeo existía, según Galdós, una cuadrilla de pícaros italianos que organizaban diabólicas orgías y seducían a las jóvenes incautas:

No daba yo gran crédito a esta importación rufia-nesca. Añado por mi cuenta que los referidos lances de seducción eran de corte italiano más que español, y en ellos se advertía el cinismo malicio-so de Boccaccio antes que las artimañas sutiles de la picaresca acá... (E III, 1100).

El personaje de Rapella en *De Oñate a la Granja* es un pícaro del tipo de los de Boccaccio, con cierto aire de figura de vodevil. Crea intereses en su propio beneficio, antici-pando el Crispín de Benavente. La picardía italiana es en verdad una expresión de egoísmo y falta de amor por el prójimo; la española, en cambio, es simplemente el resulta-do de una situación de empobrecimiento económico, que ha ido poco a poco degradando la condición humana y ha quitado alicientes para el trabajo y el progreso personal. Afirma Galdós que si esos mismos niños, traviesos y gra-ciosos, que Lord Gray ve, tuvieran educación podrían supe-rar las limitaciones de su clase y llegarían a ser un Pitt, un Talleyrand, un Bonaparte.

Gabriel Araceli, el narrador de *Cadiz*, critica a Lord Gray por ese encomio constante del triste estado material y moral de España. Lord Gray achaca a la filosofía moderna y a la prédica de políticos charlatanes la guerra a muerte desatada contra los pintorescos pícaros y buscones. Los avances de la civilización harán desaparecer tan tradicionales figuras: los mendigos españoles –dice Gray– han producido más poesía, más acciones santas y heroicas, que toda la Inglaterra con sus clavos, sus calderos, sus medias de lana y sus gorros de algodón. Nada quedará con el progreso de esa levadura pica-resca. Galdós piensa que esa disciplina moral, imprescindi-ble para la regeneración española, deberá concluir con el carácter apicarado (N II, 1275). Coincide con Lord Gray en su idea, pero no en el tono de lamentación conque el inglés se despide de los descendientes de Guzmán de Alfarache:

—Adiós, España; adiós, soldados de Flandes, conquistadores de Europa y América, cenizas animadas de una gente que tenía el fuego por alma y se ha quemado en su propio calor; adiós, poetas, héroes, autores del Romancero; adiós, pícaros redomados que ilustráis Almadrabas de Tarifa, Triana de Sevilla, Potro de Córdoba, Vistillas de Madrid, Azoguejo de Segovia, Mantería de Valladolid, Perchel de Málaga, Zocodover de Toledo, Coso de Zaragoza, Zacatán de Granada y lo demás que no recuerdo del mapa de la picaresca ... Adiós, mendigos aventureros, devotos, que vestís con harapos el cuerpo y con púrpura y oro la fantasía... Adiós, señor Monipodio, Celestina, Garduña, Justina, Estebanillo. Lázaro, adiós... (E I 917). [2]

Las ideas de Lord Gray, relativizadas irónicamente por la índole y la conducta del personaje, adquieren una formulación mucho más seria en el parlamento de Gloria. La literatura española de los Siglos de Oro expresa, según el personaje, las causas del decaimiento espiritual de España: el falso idealismo, el desprecio por las cosas terrenas:

> Por un lado, se me presenta una realidad baja y común, compuesta de endémica miseria, en cuyo seno haraposo y vacío se agitaba la gran masa de la Nación pidiendo destinos al Rey... Por otro, no veo más que hombres bien alimentados, a quienes deslumbra un ideal de gloria y una dominación del mundo, que cual sombra vana, se desvanece

---

2. Esta enumeración parece casi copiada de las falsas cartas del Doctor Thebussem (*Siete cartas sobre Cervantes y el Quijote*. Cádiz, Imprenta de la Revista Médica, 1868, pág. 208) fraguadas por M. Droap (Mariano Pardo de Figueroa).

en fin, dejándolos con la mano puesta en las me-
chas de sus arcabuces para matar pájaros... (N I,
224).

En las artes, esa dualidad se manifiesta en el idealismo
extremado por un lado y el más grosero realismo. La novela
picaresca es así la necesaria contraparte de la novela de
caballerías. Gloria confiesa su desprecio por la novela picaresca, en términos que suelen utilizarse en la crítica de la
época para calificar las tendencias naturalistas del realismo.
España se envanece sin motivo, dice el personaje, de esa
literatura "deplorable, inmoral, irreverente y, en suma, anti-
religiosa, porque en ella se hace la apología de las malas
costumbres, de la holgazanería ingeniosa y truhanesca, de
todas las malas artes y travesuras groseras que degradan a un
pueblo" (N I, 522). Valoración con la que Galdós sólo coincide en parte, ya que destaca en el contexto la excesiva
pasión de la joven; pero que era común en la época y explica
el desapego crítico de hombres como Valera o Menéndez y
Pelayo por las expresiones de la picaresca española. Galdós
entiende que desaparecidas las causas que provocan la necesidad de recurrir a artimañas para conseguir la comida y los
bienes materiales, desaparecerán los tipos que representan
esa necesidad; aún cuando no desaparecerá del todo el donaire, la travesura; es decir, los elementos que son casi propios
del organismo social.

Es en el contexto de esa teoría galdosiana de la picaresca,
que no parece haber cambiado con el tiempo, que adquieren
sentido tantos personajes apicarados de sus novelas y su uso
como constante referencia del *Lazarillo de Tormes*, del *Rinconete y Cortadillo* de Cervantes y de *El Buscón* de Quevedo. Siempre que una circunstancia económica lo justifica,
aparece un personaje de ese tipo. Los pícaros modernos son,
para Galdós, los niños desvalidos y sin educación, los estu-

diantes hambrientos, y los prestamistas. Felipe Centeno, en un extremo, y Torquemada en el otro.

La presencia, pues, de la novela picaresca en las obras de Galdós coincide con su pintura de la miseria. La miseria tiene causas materiales y espirituales. La pobreza económica de España es una de ellas; pero también lo es la filosofía ascética predicada por la Iglesia. Los pobres de Galdós viven alrededor de la iglesias o a la sombra de sus campanarios. El primer miserable de Galdós es Caifás, el personaje de *Gloria*, campanero y sacristán de Ficóbriga. No es extraña la integración de Caifás con el mundo de la Iglesia. Gloria es una de las novelas románticas de Galdós, en el sentido en que son románticas las novelas de Victor Hugo. Galdós se propone describir un conflicto fundamental de la humanidad, el conflicto religioso, que se expresa con mayor claridad en España. La novela presenta un simbolismo religioso, no enteramente desarrollado pero sí diseminado fragmentariamente en nombres, personajes y escenas. Ese modo de distribuir la dimensión simbólica sin aparente unidad pero que en el conjunto confiere a la historia una significación algo misteriosa, ha sido aprendida por Galdós en la lectura de *Nuestra Señora de París* y los *Miserables* de Hugo. El carácter visionario de las novelas de Victor Hugo se reproduce en *Gloria*: Daniel Morton constituye un judío errante, pero es también Cristo, el Nazareno, cuyas facciones se reproducen en su rostro. Sufre una persecución injusta y se desliza por las calles de Ficóbriga como Jean Valjean por las de París. El mismo Galdós asocia a ambos personajes en esta deliberada reminiscencia:

> Morton, después de beber, salió llevándose el pan. Ya con tan preciosa conquista, sintiéndose medianamente satisfecho, como Robinson cuando en su isla desierta alcanzaba de la Naturaleza los primeros dones para prolongar su vida. Poquísima gen-

te había ya en las calles de Ficóbriga, por lo que Daniel experimentó gran consuelo, habiendo llegado el caso de que la aproximación de cualquier humano rostro le produjese miedo y vergüenza. Si en su solitaria excursión por las calles sentía pasos, volvíase, y apresuradamente tomaba otro camino, como el ladrón que huye con su robo cogido en las trémulas manos. Cualquiera habría visto en él a un desalmado que acababa de robar un pan (N I, 624-625).

Tan prodigiosa y subitánea transformación del personaje, que acaba de recibir comida de favor, en un ladrón que ha obtenido ese pan delictivamente sería inexplicable si no mediara el recuerdo del personaje de Victor Hugo. Pero más clara está aún la presencia de Victor Hugo en la figura de Caifás y los sucesos que constituyen, en la novela, su vida. Caifás, como otros personajes, tiene un nombre simbólico asociado con la religión, en este caso, el del sumo sacerdote que exaltó a la plebe en contra de Cristo. Caifás es en cierta manera representación de la gente común, del pueblo pobre de Ficóbriga, cuyas miserables casas se describen al comienzo de la novela. Esa representación se ve más clara en su real apellido, Mundideo. Caifás es hombre industrioso, que repara las imágenes de las iglesias y construye ataúdes para los pobres; su vida está ligada a sus herramientas, que quedan empeñadas cuando la necesidad apremia. Su mujer, la Caifasa, tiene reputación de mala hembra. Como buen proletario, tiene Caifás varios hijos que corretean por Ficóbriga medio desnudos. Vive además sumido en el alcohol y entregado al juego, como personaje de novela naturalista. Lo que hay de victorhuguesco en el personaje es su asociación casi física con la iglesia, de la que es, como Cuasimodo, campanero. Vive en una sacristía lóbrega, destartalada, con el techo desnivelado y en la que se acomodan distintos objetos: hacheros de madera manchados de cera, un túmulo negro para funerales, un San Pedro sin manos ni llaves, lienzos pintados, una calavera y un libro de madera, pertenecientes a la figura de algún anacoreta. Es además, un ser grotesco, casi monstruoso, que contrasta con la sublime belleza de Gloria; tiene ojos de topo, faz angulosa, cuerpo estevado, tez de color amarillo. El mismo se define como "Caifás, el estúpido; Caifás, el feo; Caifás, el idiota" (N I, 539). Los sucesos más importantes de la novela, la tormenta marina, las visiones de Gloria, la aparición poco menos que maravillosa del naúfrago, la muerte subitánea de Lantigua, el nacimiento de Jesús, hijo del judío y de la cristiana, participan del tipo de novela visionaria que la crítica moderna asocia con la obra del autor francés.[3]

En Caifás y en su familia ejercitan Gloria y Morton su generoso sentido de la caridad, mientras fracasa la compasión más interesada de los eclesiásticos. Se anticipa en este sentido el tema de la caridad desarrollado muchos años después en *Misericordia,* donde no es casual que reaparezca la asociación entre los miserables y la iglesia y vuelva a surgir Caifás ahora en la más perfecta figuración de Almudena. [4]

---

3. Visionaria en el sentido que confiere al término Victor Brombert, en *Victor Hugo and the Visionary Novel.* Cambridge-London, Harvard University Press, 1984. En *Gloria* de Galdós hay algo de "roman poéme", es decir de novela que como las de Hugo "steeped in a social historical context, tend toward the elaboration of a new epic which no longer sings the heroic exploit but the moral adventure of man. Hugo [y Galdós] converts politics into myth, much as he translates private obsessions into collective symbols." (pag. 7). Yo creo que la asociación de las novelas de Galdós con las de Hugo, brillantemente intuida por Casalduero entre otros, merece gran atención y constituye un interesante capítulo de la literatura comparada, aún no escrito.
4. En el ya citado artículo de Casalduero, "Galdós: de Morton a Almudena", se establecen estas y otras posibles conexiones entre ambas novelas.

Caifás tiene también, según se dice, apariencia de moro. Las palabras de Gloria sobre la religión podrían figurar en boca de Benigna:

> Los que se aman son de una misma religión. Los que se aman no pueden tener religión distinta, y si la tienen, su amor los bautiza en un mismo Jordán. Quédense las sectas distintas para los que se aborrecen. Mirándolo bien, veo dos religiones: la de los buenos y la de los malos (N I, 596).

Tanto Gloria como Benigna expresan el sentido del latitudinarismo, según las encíclicas que tienen en el tiempo de *Gloria* gran actualidad.

La traición de Caifás, que no mantiene la debida fidelidad a Morton una vez que sabe su origen judío, y que está asociada con el recibo y devolución de dinero, lo convierte además en otro personaje popular del nuevo testamento, Judas. Es Caifás, pues, una figura compleja, vinculada con personajes de la tradición religiosa y novelesca; pero no aparecen sin embargo en su composición elementos picarescos, aunque Gloria hable de sus picardías. El ingrediente picaresco en los miserables de Galdós aparece por primera vez en *Marianela*, novela en la que el formulamiento krausista de la síntesis dialéctica entre realidad e ideal es más evidente.

El punto de partida de la picaresca galdosiana se puede situar en el capítulo de *Marianela* titulado "La familia de piedra". Las picardías de Celipín, a las que alude Marianela, consisten en el poco balanceado esfuerzo del personaje por salir de la apatía y la inmovilidad de su clase. Celipín formula así su intención de emular a Golfín, un golfo como él que ha superado las limitaciones de su origen:

Puesto que mis padres no quieren sacarme de estas condenadas minas, yo me buscaré otro camino; si, ya verás quien es Celipín. Yo no sirvo para esto, Nela. Deja tú que tenga reunida una buena cantidad, y verás, verás cómo me planto en la villa, y allí, o tomo el tren para irme a Madrid, o un vapor que me lleve a las islas de allá lejos, o me meto a servir con tal que me dejen estudiar (N I, 714).

La idea de meterse a servir hará de Don Celipín de Socartes, como el mismo personaje se denomina, un pícaro decimónico. En el capítulo "El doctor Celipín" se anticipa el estudio de la psicología del pícaro, según la interpretación de Galdós; llevado por un alto concepto de sí mismo, en nada atiende a su realidad e imagina mundos imposibles en detrimento del auténtico esfuerzo para la prosecución de un fin real. Esa imaginación sin límites, que produce truhanes o caballeros, es el resultado también de la falta de educación. Galdós está interesado, al escribir *Marianela*, en la sociología de la infancia, en el estudio de niños desvalidos por condiciones físicas, como Marianela misma, o por falta de cuidado, de educación. La familia de Celipín vive en la brutalidad de la vida física sin el menor intento de superarse. Sólo les atrae el *positivismo* del dinero; los días de cobranza parecíale a la Señana "que entraba por las puertas de su casa el mismo Jesús sacramentado" (N I, 715). Esa fórmula de encarecimiento, propia de la picaresca, aparece también en *Gloria*, en boca de Caifás, que al recibir el dinero de Morton cree que se le han abierto los cielos. Celipín es una expresión además de la infancia sometida a duro trabajo durante los años de la revolución industrial en España:

> ...el más pequeño vióse libre de maestros y engolfado vivía durante doce horas diarias en el embrutecedor trabajo de las minas, con lo cual toda la

familia navegaba ancha y holgadamente por el inmenso piélago de la estupidez (N I, 715).

Es evidente en ese párrafo la elaboración del lugar común del periodismo: el inmenso piélago de la miseria, en piélago de la estupidez. El cambio es muy significativo pues Galdós pone en el individuo y su falta de sensatez, la culpa que determina su nivel social. El error de Celipín es el de equivocar los medios para salir de ese piélago y el de remplazar el auténtico estudio por la imaginación inoperante que según Giner de los Ríos y luego los regeneracionistas constituye el vicio fundamental del español. Lo característico de la "familia de piedra" es la imposibilidad de pensar y por consiguiente de superar a la naturaleza. Los hombres de las minas, ennegrecidos por el carbón, se describen como figuras escultóricas, como parte de la tierra misma, aunque curiosamente transpuestas, pues al mismo tiempo son los escultores de la calamina.

La novela de Celipín se anuncia al final de *Marianela* como la interesante historia de un ser "pequeño, mezquino, atomístico" que tiene alientos para ser grande. No es tan extraño que los inventados "Sketches from Cantabria", escritos por el extranjero que visitó la tumba de Marianela, asocien al personaje con la pintoresca España de los pícaros y los caballeros, tal como la veía Lord Gray:

> De un carácter espiritual, poético y algo caprichoso, tuvo el antojo (take a fancy) de andar por los caminos tocando la guitarra y cantando odas de Calderón, y se vestía de andrajos para confundirse con la turba de mendigos, buscones, trovadores, toreros, frailes, hidalgos, gitanos y muleteros, que en las kermeses forman esa abigarrada plebe española que subsiste y subsistirá siempre, inependiente y pintoresca, a pesar de los *rails*, y de

los periódicos que han empezado a introducirse en la Península Occidental (N I, 775).

El doctor Centeno se desarrolla pocos años después de *Marianela*. Y aunque la fecha novelesca de *Marianela* es incierta, sabemos que la Nela muere el "12 de octubre de 186...". Galdós está pensando en los primeros años de la década, antes de 1863, que es cuando Felipe llega a Madrid. Montesinos se asombra de las precisiones de fechas en *El doctor Centeno* y las considera innecesarias. Esas precisiones importan por dos motivos: relacionan la historia con *Marianela* e indican además que la crítica al sistema educativo imperante es anterior a la revolución de 1868. Galdós mismo define a su novela como pedagógica.

Entre la salida de Socartes y la llegada a Madrid han transcurrido, nos dice Celipín, siete semanas y dos días. Estamos en febrero de 1863, en la segunda semana del mes; Celipín lleva en la maleta las bellotas que le obsequió una vendedora en la Ronda de Embajadores el día 10. La salida del niño debió ocurrir, en la mente de Galdós, en los primeros días de enero de ese año; la muerte de Marianela debió acaecer en octubre de 1862. La aparición, pues, de Celipín como criado de los Tellerías en *La familia de León Roch*, vestido con un anacrónico traje de paje renacentista, es posterior a los sucesos narrados en *El doctor Centeno*. La familia de León Roch alude a acontecimientos posteriores a 1868 y la figura de Roch representa el fracaso que han experimentado los ideólogos krausistas. La cita de *the struggle for life* en boca de un personaje supone la lectura de Spencer, cuya obra se difundió en España entre 1870 y 1876 y las alusiones a los escritos de Veuillot en *L'Univers* implican también fechas posteriores a 1868.

De modo que Celipín es un pícaro vinculado a un momento específico de la historia cultural de España, y no pretende Galdós crear en él un tipo más universal o genérico. El pícaro de 1863 se vincula con los universitarios que son testigos, como lo fue Galdós mismo, de la noche de San Daniel. Alejandro Miquis es uno de los compañeros de Juanito Santa Cruz, según se recuerda en *Fortunata y Jacinta*:

> Juanito Santa Cruz y Miquis llevaron un día una sartén (no sé si a la clase de Tovar o a la de Uribe, que explicaba Metafísica) y frieron un par de huevos. Otras muchas tonterías de este jaez cuenta Villalonga, las cuales no copio por no alargar este relato. Todos ellos, a excepción de Miquis, que se murió el 64, soñando con la gloria de Schiller, metieron infernal bulla en el célebre alboroto de la noche de San Daniel (N II, 447).

No es raro que los personajes de esa estudiantina se evoquen en ambas novelas con cierta nostalgia, cierto dejo de melancolía.

El doctor Centeno participa de las características externas que la crítica contemporánea de Galdós adjudicaba a la novela picaresca: el motivo del pícaro como mozo de muchos amos; el del hambre como impulso motor de la picardía. Galdós describe a Celipín, una vez llegado el personaje a Madrid, como un golfo de Murillo, vistiendo un ropaje más propio del siglo XVII que del siglo XIX:

> Ostenta chaqueta rota y ventilada por mil partes, coturno sin suela, calzón a la borgoñona, todo lleno de cuchilladas, y sobre la cabeza greñosa, morrión o cimera sin forma, que es el más lastimoso desprecio de sombrero que ha visto en sus tenderetes el Rastro (N I, 1313).

La asociación con los golfos de Murillo tiene sentido más claro cuando páginas más adelante se habla del pintor y de inmediato se describe la vestimenta del amo y de su criado (N I, 1411-1412). Las actitudes del personaje corresponden más con las de un soldado bravucón y heroico: se le denomina siempre, "el héroe". Los transeúntes al verle pueden creer que se trata de un joven de "heroico linaje y de casta de inmortales". Para mayor ironía, el narrador se convierte ahora en cronista o historiador de esa vida, aunque sin querer meterse en los asuntos privados del personaje. Con parsimonia señorial, Celipín urga sus "incomprensibles bolsillos en busca de bellotas, higos, pan, con el que sobre un periódico tendido aderaza con cuidado la merienda". En el acto de fumar, el personaje parece envuelto en aprestos bélicos, actitud conforme también con el señorío. Enciende el cigarro "al estilo de caballero" en el hueco de la mano. El cigarro "es soberbia pieza de tres...¡Fuego!" Como un conquistador, como el Cid en las almenas de su castillo de Valencia, "el héroe mira todo con alegría, y después escupe" (N I, 1314).

Calipín se gana la vida en Madrid como criado. Al llegar unas lavanderas lo emplean para sus recados; obtiene también dinero llevando equipajes a los viajeros que llegan a la estación. Luego aparece como criado en casa de la Tía Soplada, que vende ropas usadas en el Rastro; ella le paga la comida en compensación por su trabajo, y lo manda a la escuela.

Cuando Alejandro Miquis y Antonio de Cienfuegos encuentran al niño, desmayado por el humo del tabaco, comienza realmente el relato. Durante el transcurso de la novela, Celipín tendrá dos amos más, el cura Pedro Polo y Alejandro Miquis. La historia de Celipín en casa de Pedro Polo recuerda la de Lazarillo en la del Clérigo de Maqueda, tratado segundo de la novela.[5] Lo que ambos sacerdotes tienen de común es sobre

---

5.   A partir de ahora, las citas del Lazarillo provienen de la

todo la crueldad de su temperamento tan poco acorde con la investidura sacerdotal. En el caso del Lazarillo, esa crueldad se evidencia en la deliberada privación de alimentos; en la de Celipín en el violento modo de impartir enseñanzas:

> A lo mejor, un cráneo sonaba seco al golpe de un puño cerrado y duro. Restallaban mejillas sacudidas por carnosa mano. Los pellizcos no cesaban, y a cada segundo se oía un ¡ay! Se confundían las voces de *bruto, acémila,* con lamentos, las protestas y el lastimoso y terrorífico *yo no he sido.* La palmeta iba cayendo de mano en mano, incansable, celosa de su misión educativa, aporreando sin piedad a todo el que cogía. La quemazón de la sangre, el cosquilleo, el dolor agudísimo, daban entendimiento al torpe, mesura al travieso, diligencia al indolente, silencio al lenguaraz, reposo al inquieto... (N I, 1329).

---

edición de Madrid. La lectura, 1926; el "Tratado segundo" ocupa allí las páginas 125-165 y el "Tratado tercero", las págs. 165-224. Como se trata de episodios tan conocidos, no creo necesario señalar en cada frase que transcribo el número de página.

Confieso a que pesar de mi interés por mostrar las relaciones entre Galdós y Cervantes, no alcanzo a ver con claridad las vinculaciones que Alfred Rodríguez y Mary Jo Ramos encuentran entre *El doctor Centeno* y *El licenciado Vidriera,* a salvo quizá el uso de los términos "doctor" y "licenciado" en los títulos de cada una de esas obras. (Ver "Nota para una relectura de *El doctor Centeno* en el centenario de su publicación", AG, XIX, 1984, págs. 143-146.) Tampoco comparto la idea de Cardona de que sea novela vinculada con la obra de Goethe, salvo en su carácter de novela pedagógica, tipo al parecer acuñado por los alemanes. ("Nuevos enfoques críticos con referencia a la obra de Galdós", en *Cuadernos Hispanoamericanos,* 250-252, 1971, pág. 68). En el mismo número de esta revista se lee el artículo de Germán Gullón, "Unidad de *El doctor Centeno*", págs. 579-585, que me parece muy recomendable.

La escuela de Pedro Polo, y de su pasante Ido del Sagrario, se define como "rueda de tormento, máquina cruelísima, en la cual los bárbaros artífices arrancaban con tenazas una idea del cerebro, sujeto con cien tornillos, y metían otra a martillazos, y estiraban conceptos, e incrustaban reglas, todo con violencia, con golpe, espasmo y rechinar de dientes por una y otra parte" (N I, 1329). Además de los castigos corporales, y de las degradantes orejas de burro, Pedro Polo, tan apartado del ascetismo como el clérigo del Lazarillo, aplicaba con suma frecuencia la pena de dejar al pupilo sin comida. La descripción de los niños que se quedan después de clase sin comer tiene en Galdós dimensión patética; uno de los niños enloquecido de rabia y de hambre, sale disparado de la escuela y atropella a una mujer cargada con un cántaro de leche. La mujer cae al suelo, estrella su cabeza contra el cordón de la acera y queda muerta en el acto.

Felipe se integra buenamente a esa nueva vida, disfrazado con ropas que le ha prestado Miquis y que lo han convertido casi en "un paje, un caballerito" (N I, 1335). Duerme en uno de los desvanes de la casa, entre imágenes de cartón y de madera las efigies de los Evangelistas y los Cantos de Semana Santa. El mal trato del amo se agrava con la actitud de los demás, especialmente de doña Claudia, la madre del clérigo. Cualquier omisión o error se achaca a Celipín, el *sisón*, el *pícaro*, el *doctorcillo* Centeno.

Felipe padece con real estoicismo el obligado ayuno dado su acostumbramiento a ese tipo de carencia. Cuando don Pedro le indica "Hoy estás sin comer".

> Ni asombro ni pena causó esto a Felipe, por lo acostumbrado que estaba a tales penitencias. De los seis días de labor de cada semana, tres por lo menos se los pasaba a la buena de Dios. Es forzoso repetir que Polo hacía estas justiciadas a toda

conciencia, creyendo poner en práctica el más juicioso y eficaz sistema docente... (N I, 133).

El estar privado de comida no impide que el doctor Centeno, con el estómago "más vacío que las arcas del Tesoro", tenga que servir la cena de sus amos.

La relación de Celipín con Pedro Polo termina de mala manera; esporádicamente, en el resto de la novela y en *Tormento*, el criadillo se encuentra de nuevo con su temido y al mismo tiempo querido maestro y señor. En el *Lazarillo*, el clérigo echa al niño de su casa después del episodio del arcón. El "cruel sacerdote", como dice Lázaro, le ha destrozado la boca de un garrotazo, destinado en verdad a la supuesta serpiente que mondaba los panes. En *El doctor Centeno* la circunstancia es diferente: Celipín usa la imagen de uno de los Evangelistas para jugar a los toros con sus amigos. El padre Polo recrimina al niño por haber jugado con cosas santas y le dice simplemente: "Felipe, ahora mismo te vas de mi casa" (N I, 1357). No acepta que se trate sólo de una travesura infantil y aunque con cierto sentimiento, no puede perdonar tan gran pecado. Su reacción contra Celipín niega su calidad sacerdotal más que sus culposos amores con Amparo: "No hay perdón, no puedo perdonarte. Vete pronto" (N I, 1357).

El hambre como impulso motor de la vida del pícaro es tema más desarrollado en la relación con Alejandro Miquis. En uno de los capítulos iniciales de la novela, en el que conocemos indirectamente a Pedro Polo, Miquis lleva a Felipe a comer a casa de Morales. Lo presenta con las siguientes palabras:

> "Señor Morales, me tomo la libertad de ... De recomendarle a usted el señor de Centeno, que no ha comido hoy nada caliente. Puesto que tiene usted convidados..." (N I, 1319).

Morales lleva a Felipín a un salón adyacente al comedor en que se celebra un verdadero festín. Felipe escucha un enorme concierto de voces, ruidos de cubiertos y de lozas, chocar de copas, chupetones de labios y huele los vapores de la comida, los fritos, los guisados. El pobre Felipe cree que todos se han olvidado ya de su presencia. En esa fundamental escena se asocian los sufrimientos y las alegrías del pícaro, como en la literatura que le sirve de modelo, con las angustias y el contentamiento de Cristo.

> ¡Cansancio infinito! Era ya para él como un peso inútil sus propias miradas, y no sabiendo dónde arrojarlas, las echó sobre una estampa de Cristo crucificado que delante de él estaba en la pared. Miró los chorros de sangre que al Señor le corrían por el santo cuerpo abajo, y la ferocidad del judiote que le daba el lanzazo, y las tinieblas, y flamígeros celajes del fondo, todo lo cual puso espanto en su sensible corazón, llevándole hasta el absurdo convencimiento de que él, Felipito, era tan digno de lástima como nuestro Redentor (N I, 1320).

Cuando Morales, al fin, envía a un niño con comida para Celipín el mensajero se describe como un ángel. Y la imagen de Cristo se transforma en el "Señor Resucitado" que vuela hacia el cielo rodeado de gloria. El comer se asocia con "el pan nuestro de cada día," que a algunos, como a los discípulos de Polo, se les suele negar. La vinculación entre religión y miseria está sentida por Galdós con toda la experiencia de sus lecturas de la literatura española; pero como bien observa Montesinos, con un contenido más propio de su época. [6]

---

6.   Alexander A. Parker en *Literature and the Delinquent*. London, 1967, traducido por Rodolfo Arévalo como *Los pícaros en la literatura. La novela picaresca en España*. Madrid, Gredos, 1971, es quien más ha extremado la interpretación de símbolos cristianos

Galdós, dice Montesinos, ha intuido la posibilidad de unir la picaresca con la novela social moderna.

Me parece más evidente aún la relación con el tratado tercero del *Lazarillo*, "De cómo Lázaro se asentó con un escudero y de lo que le acaeció con él." El primer recado que Celipín efectúa para Miquis es la visita a la casa de la tía Isabel Godoy, un personaje cervantino, enloquecido por el recuerdo de las pasadas glorias familiares. En el camino, el joven Centeno se encuentra, como Lázaro, con un entierro, en este caso el de Calvo Asensio. Como Lázaro, Celipín se hace a un lado para dejar pasar la comitiva, que se describe como una "fatídica procesión" (N I, 1364). Lázaro dice: "..hendí por medio de la gente y buelvo por la calle abaxo ha todo el correr que pude para mi casa". La casa a la que va es para Lázaro "la casa triste y desdichada", "la casa lóbrega y obscura", "la casa donde nunca comen ni beven", a la que aluden los deudos del muerto refiriéndose al cementerio y que el niño identifica ingenuamente con la casa del Escudero. En Galdós, Celipín llega al fin de su viaje, después de meterse "por las grietas que en la humana masa se abrían" (N I, 1364). El lugar donde está la casa de la tía le parece también un cementerio:

> ¡Qué silencio, qué sepulcral quietud la de aquellos lugares! Eran más fúnebres que el entierro y más solitarios que la soledad (NI, 1365).

---

en *El Lazarillo*. (Véase la crítica de esa obra, que firma Fernando Lázaro Carreter en sus "Glosas críticas a *Los pícaros en la literatura* de Alexander A. Parker", en *Hispanic Review*, XLI, 1973, págs. 469-497.) A pesar de esos reparos, no siempre justificados, la visión de Parker, extendida a sus trabajos sobre Galdós, está muy de acuerdo con la interpretación que de aspectos de la picaresca tiene el siglo XIX y Galdós mismo.

Como resulta ahora más lógico, Celipín, "sin ver, por ser niño, el sentido de las cosas", se transporta a un tiempo histórico, aunque ese tiempo no coincide con el de Lázaro:

"creeríase más en Toledo que en Madrid. O bajo la dominación de los reyes austríacos, amenazado de las uñas de Rinconete (NI, 1365).

La casa de la señora de Godoy es un caserón madrileño del siglo XVII. Felipe la ve tan misteriosa, emblemática e incomprensible como las páginas de la Gramática o de la Aritmética. Al abrirse la puerta, sólo advierte oscuridad: es entrada tan lóbrega como la que ve Lázaro en la vivienda de su amo. A Lázaro le parece "casa encantada"; Galdós describe como únicos puntos de luz los ojos verdosos de los gatos. Los ojos de la dueña tiene también reflejos coloridos que inspiran miedo. No habla Galdós de encantamientos, pero describe el ambiente como un mundo feérico y alucinado. Cuando Celipín vuelve con Miquis a recibir el esperado apoyo económico, ve en la sala "una mesa llena de naipes y junto a ella una figura siniestra y horripilante, una mujer con mantón negro por la cabeza, haciendo arrumacos y garatusas" (N I, 1379). El aterrorizado joven concluye entonces diciendo para sí. "Esta ha de ser la casa del Demonio ... Yo también, como los gatos, echaré chispas" (N I, 1379).

La relación entre Alejandro Miquis y Celipín reproduce, aunque adaptada a una realidad distinta, la del Escudero y Lázaro. Miquis y el Escudero tratan con cierta deferencia y afecto al criado y vuelcan sobre él su generosidad, aunque nada tienen para dar. Como Lázaro lo dice resumidamente: "Con todo le quería bien, con ver que no tenía ni podía más". El tema central de *Misericordia*, la caridad que consiste en dar con amor lo que no se tiene, pudo desprenderse de ese episodio del *Lazarillo* y es tema anticipado en *El doctor Centeno*. Cuando Pedro Polo interroga a Felipe sobre la vida posterior a su pupilaje, éste responde como podría haberlo hecho Lázaro:

> –No señor... –murmuró–, yo no soy vago... Estoy sirviendo a un caballero...
>
> –Y ese caballero, ¿no te da salario, no te da ni siquiera de comer?.
>
> –Si, señor...; pero... –balbució Felipe, aturdidísimo y sin saber como explicar el extraño y nunca visto caso de su miseria.
>
> –A ver, explícame eso.
>
> –Es que mi amo no tiene nada..., está pobre...
>
> –¿Quien es?
>
> –Un estudiante.
>
> –Nunca he visto estudiantes que tengan sirvientes. ¿Es, por ventura, hijo de reyes? (N I, 1429).

La generosidad de Miquis no tiene límites. Cuando recibe el dinero de su tía compra botas nuevas a su criado, lo lleva a comer a restaurantes de lujo, presta dinero a los amigos; cuando nada tiene comparte real y simbólicamente con Cepelín la carga de su miseria. En los últimos momentos de su vida, da consejos a Felipe, como el Quijote a Sancho, pero sin renegar de su pasado idealismo, y dice entonces:

> Afanarse por dinero es tontería, y guardarlo es tontería mayor. Yo creo que el dinero se ha hecho para esperarlo. La posesión, cópula breve del esperarlo y el ofrecerlo es un momento de placer fugaz, que vale mucho menos que las delicias prolongadas de la esperanza y la generosidad ... ¡Dinero!... Cuando lo tengo me considero administrador de los que lo necesitan. El placer de los placeres es dar, y varío pedestremente los versos de Quevedo, diciendo:

Sólo a un dar yo me acomodo,
que es el dar en darlo todo (N I, 1448).

Cuando Felipe le recrimina su excesivo desprendimiento, Alejandro dice con filosófico empaque: "Por más que me empeño en ello no consigo ser egoísta. Mi yo es un yo ajeno" (NI, 1424).

Celipín pide limosna, como Lázaro y como Benigna, para ayudar al amo lacerado y hambriento. Siente al hacerlo un enorme cansancio moral pero también el confortador sentido de la responsabilidad humana que lo hace crecer interiormente. Pide socorro con vergüenza, sobre todo al tener que recurrir a Pedro Polo; pero sabe que pide para el otro. Llora de compasión por el amo enfermo:

> Cuando se acordaba de la soledad de su amo, sintiendo, en el recuerdo, asomos de pena, se consolaba mirando al mucho azúcar que sobraba y haciendo propósito de guardarlo todo para el enfermo... (NI, 1433).

Es en la dimensión de la compasión humana y el respeto entre amo y criado que la deuda del *Lazarillo* adquiere mayor evidencia, ya que no existe nada similar en otras obras de la picaresca española. Celipín admira a Miquis, a quien considera un gran autor teatral, y participa de todos los sueños de grandeza del quijotesco personaje, al modo en que Lázaro admira, con mayor ironía, la grandeza social del escudero. Lázaro es más recatado en su afecto, "Y antes le avía lástima que enemistad". Celipín llora con desconsuelo al presenciar el agravamiento de la tisis y la prematura muerte de Miquis. En la escena final, Miquis experimenta un "sentimiento y dulzura inexplicables" y pide a Centeno que lo abrace. Una mano de dolor estrangula la garganta del criado. Las lágrimas presionan en sus ojos: "Con un puño en cada ojo" (NI,1462). No hay páginas más tiernas en Galdós, en las numerosas escenas de muerte en sus novelas; esta escena, tan cercana al final del *Quijote*, tiene cierto tono de novela sentimental que Galdós evitará en lo sucesivo. Hay todavía ecos muy recientes, además, del humanitarismo romántico. No es extraño que Felipe corra el tris de robar un pan, y un par de huevos, convirtiéndose también en el personaje de Victor Hugo tan claramente recordado por Arias en otro momento de la novela:

> Y Arias, fuerte en literatura, hablaba de *Los miserables*, obra que por tales días cautivaba y embelesaba a tantos lectores. ¡Aquella Cosette!... ¡Aquella Fantina!... ¡Aquel Jean Valjean!... ¡Aquel capítulo!: ¡La tempestad bajo un cráneo!... ¡Aquel polizonte Javert!... ¡Aquel capítulo de las cloacas!... ¡Aquel Fauchelevant!... ¡Aquellas monjas del pequeño Picpus!... ¡Aquella frase: "No hay que confundir las estrellas del cielo con las que imprimen en el fango las patas de los gansos!"... ¡Aquel Gavroche!... En fin, todo, todo... (NI, 1426).

El ciclo de referencias victorhuguescas que se inicia con *Gloria* culmina en *El doctor Centeno*. Hasta aquí, los miserables de Galdós recogen junto a la herencia de la picaresca, los elementos de la novela social romántica.

Centeno no incurre en delito alguno en su vida de mendicidad, aunque está cerca de cometer un robo, insignificante en su valor, pero no por eso menos penado por la ley. Galdós en general elude los casos de delincuencia. La vida picaresca era considerada entonces, sin embargo, como una antesala del delito. Ya hacia las fechas de *El doctor Centeno*, Concepción Arenal, había asociado picardía y delincuencia desde el punto de vista del derecho. Rafael Salillas, tiempo después, desarrolla ese aspecto legal, basado en ideas formuladas antes por los krausistas. Coincide Salillas con Galdós cuando afirma que:

> ...esa trinidad literaria caballeresco-picaresco-re-
> ligiosa, parece constitutiva de ese carácter (nacio-
> nal), y que lo es lo demuestra el que la caballero-
> sidad, la picardía y la religiosidad se han
> considerado en sus exaltaciones como padeci-
> mientos nacionales...[7]

Los niños delincuentes en Galdós están emparentados con Rinconete y Cortadillo.[8] En *La Desheredada*, El Majito y Colilla, y sobrre todo, Zarapicos y Gonzalete son figurillas de Cervantes:

> Los que subían del río eran como de doce años,
> descalzos, negros, vestidos de harapos. El uno
> traía una espuerta de arena. Los otros dos mostra-
> ban grandes manojos de una yerba que se cría en
> aquellas praderas. Es una liliácea. que algunos
> llaman matacandil y otros jacinto silvestre o cebo-

---

7. Rafael Salillas hace además otras importantes observaciones. En *El delincuente español. El lenguaje, (estudio filológico, psicológico y sociológico) con dos vocabularios jergales*. Madrid. 1986, dice de *Rinconete y Cortadillo* que "sobre ser la más escogida de las novelas ejemplares, merece la predilección del antropólogo criminalista por ser un interesante estudio de las asociaciones de delincuentes" (pág. 103) En su otro libro, *El delincuente español, Hampa (Antropología picaresca*, Madrid, 1898, que es de donde extraigo la cita, pág. 202, afirma que "la industria de la cestería en las cárceles y en general la menudencia comercial, según aparece en Cervantes, es actividad de pícaros" (págs. 202-203).
8. Otros críticos han visto ya la relación de los personajes que a continuación analizo y los pícaros cervantinos. "Zarapicos and Gonzalete, Mariano's enemies in the war games, are nineteenth century pícaros who recall Cervantes' famous pair, *Rinconete y Cortadillo*", dice Shoemaker, *op. cit.*, II, pág. 155.

lla de lagarto. Tiene un tallo o tuetanillo que se chupa, ¡y es dulce!

–¡Matacandiles!– chillaron muchos, arrojando las armas y saliendo a recibir a los dos individuos conocidos en la república de las picardías como Zarapicos y Gonzalete (NI, 1023).

Zarapicos ha sido "Lazarillo de un ciego" y Gonzalete ha actuado como hijo falso de una pordiosera que pedía a la puerta de las iglesias. Tienen padres, pero no se acuerdan de ellos. Viven de sus obras y de sus manos, al aire libre, durmiendo en el quicio de las puertas. Andan descalzos y casi desnudos. Como pícaros modernos, ganan algún dinero vendiendo periódicos; pero antes de llegar "a las altas posiciones", recogen las colillas por las calles para hacer con ellas cigarros nuevos; comercio que les exige un cierto esfuerzo; recorrer las calles, detenerse a la puerta de los cafés. Son ricos en relación con los demás, porque el dinero así ganado lo apandan sin gastar nada en que comer:

> Dos veces al día la guarnición de Palacio da a los chicos las sobras del rancho, a trueque de que éstos les laven los platos de latón. Esta sopa boba, a la cual los granujas llaman *piri*, atrae a mucha gente a los alrededores del Cuerpo de Guardia, y se disputan los coscorrones (NI, 1024).

Los picarillos cervantinos están pues vivos en el Madrid contemporáneo; Galdós describe costumbres de la infancia desvalida propias de su tiempo pero a la vez reitera las que el autor del Lazarillo y Cervantes describieron como propias de los suyos. Los niños, hablan en caló madrileño. La pelea que ocurre poco después recuerda trifulcas similares entre los niños de Sotileza, la novela de Pereda. Pecado, un granuja de mala índole, hiere malamente a Zarapicos con una navaja. Galdós expresa compasiva ternura por esos pobres niños y

74

los justifica: "Eran niños, necesitaban juego como el pez necesita agua, y así, por las tardes, se iban al río a recoger matacandiles" (NI, 1024). La pelea tiene visos de terrible juego, y eso torna más fatídica ese hecho sangriento. Cuando los demás niños corren al niño prófugo gritándole *asesino*. Galdós, en uno de sus momentos más estremecidos de angustia, pinta el horror de la infancia destruida por la miseria y la violencia:

> Silencio terrorífico, los muchachos todos se quedaron yertos de miedo. Al principio, no comprendían la realidad abominable del hecho. Cuando la comprendieron, los unos echaron a correr, llevados de un compasivo horror, los otros rompieron a llorar con ese clamor intenso, sonoro, dolorido, que indica en ellos la intuición de las grandes desdichas (NI, 1026).

Los pícaros se le han transformado ahora en personajes trágicos. Pero no siempre lleva Galdós tan lejos su presentación de la vida picaresca. En *Ángel Guerra*, Fausto y Policarpo utilizan argucias para ganarse la vida sin trabajar excesivamente. Viven en un cuarto que se parece al que habitaban Caifás en *Gloria* y Celipín en *El doctor Centeno*: cuarto de pringoso aspecto, decorado, si no con imágenes desechadas de santos, con figuras de guiñol de estúpida cara y una cabeza disecada de toro. Los dos personajes procuran escapar de la miseria escribiendo aleluyas políticas, inventando instrumentos para jugar, como el del gato y el ratón o el lapicero mágico, o construyendo chucherías; venden todo ello en la Puerta del Sol, "a perro chico" (NI, 38). Piensan escribir un libro, *Cálculo infalible de las jugadas a la lotería*, con el que esperan llenarse de dinero. No se trata por ahora de delitos, aunque sí de engaños; más adelante los jóvenes pícaros se convertirán en asesinos...

Los engaños amorosos en especial son, para Galdós, propios de hombres cínicos que buscan más que placer obtener beneficios y prebendas. En *Amadeo I* aparece como narrador un personaje de ese tipo, al que su amiga, Josefa Izco, lo define como "un pícaro redomado, un zascandil de la literatura y el periodismo, federal de abolengo, masón y revolucionario callejero." En un determinado momento, el personaje simula ser hombre de iglesia; huye "antes de que se descubriera la superchería picaresca del sermón con que embobé a los durangueses" (EN, 544).

Ni Lázaro, ni Rinconete y Cortadillo, son estudiantes o tienen que ver con la Universidad española. Si don Pablos, el personaje de Quevedo. Es evidente que Galdós une deliberadamente a Quevedo con Cervantes al hacer de Miquis, de la familia de los Micomicones, un estudiante idealista del Toboso que enloquece casi en su pretensión de imitar modelos literarios. La obra que Miquis se propone escribir. *El grande Osuna*, tiene a Quevedo como personaje y es su fuente un conocido soneto de Quevedo. Las menciones a Quevedo son pues muchas y muy justificadas. Quevedo es a lo largo de la obra de Galdós una fuente de situaciones y sobre todo de recursos de estilo en la composición de los personajes y en el lenguaje. Ya en los escritos juveniles, firmados con el seudónimo de Sansón Carrasco, las huellas indudables de Cervantes se sobreponen a las de Quevedo, sobre todo cuando Galdós esgrime las armas de la sátira. La obra cuya lectura está más presente es *El Buscón*, sobre todo en las descripciones de comidas y los retratos de algunos personajes. Ya en la *Fontana de Oro* Lázaro participa de una comida que tiene las características de las del dómine Cabra:

> "Sirvióse primero una sopa que, por lo flaca y aguda, parecía de seminario; después siguió un macilento cocido, del cual tocaron a Lázaro hasta tres docenas de garbanzos, una hoja de col y me-

dia patata; después se repartieron unas seis onzas de carne, que en honor de la verdad, no era tan mala como escasa y, por último, unas uvas tan arrugadas y amarillas que era fácil creer en la existencia de un estrecho parentesco entre aquellas nobles frutas y la piel del rostro de Salomé. (NI, 112).

Cuando, en *El doctor Centeno*, Alejandro lleva a Celipín a comer a un elegante restaurante, el criado se atraca sólo con el ver la mesa tendida bajo los mecheros de gas y frente a un espejo. No atina a comer los alimentos ya dispuestos al sentarse, las ruedas de salchichón, los rabanitos, ni el pan y la mantequilla. Piensa en despuntar el hambre con una sopa:

Al pobre doctor le parecía mentira que había de venir la tal sopa, y cuando llegó y tomó la primera cucharada, pasóle lo que al héroe de Quevedo, esto es, que hubo de poner luminarias en el estómago para celebrar la entrada del primer alimento que tras de tan larga dieta entraba (NI. 1382).

Quevedo no puede servirle a Galdós para la pintura de la infancia pobre y desvalida pero sí para la más violenta descripción de la miseria moral que deriva de la material. Miquis hace al respecto un fundamental distingo entre su pobreza y la de Celipín, nacida de ciertas circunstancias modificables, y al pauperismo total de Ido del Sagrario:

Miquis y su criado hablaron un rato de aquel infeliz vecino y de su triste situación.
—Coge todo lo que haya —dijo el manchego— y llévaselo, ¿qué nos importa el día de mañana? De alguna parte ha de venir. Nuestra miseria es contingente, accidental y temporal; la suya es intrínseca y permanente (NI, 1432).

La influencia de Quevedo en la caracterización de esos miserables de indigencia intrínseca no llega a los extremos de crueldad del modelo.[9] Galdós no puede concebir maldad en el ser humano, ni ver los defectos de la persona como castigo divinal; por el contrario, dulcifica la visión satírica de Quevedo con su real amor por la humanidad, aún en sus aspectos más reprensibles o ridículos. Y va más alto todavía: convierte a esos hombres en epítome de valores permanentes, como ocurre con el ilustre ejemplo de Patricio Sarmiento.

Sarmiento tiene una figura tan grotesca como su ditirámbico estilo al hablar, y la gente, sobre todo los adversarios políticos, lo tratan con la misma vileza y grosería que soporta don Pablos en El Buscón. Se le pone el pie para tumbarlo de narices o se hace de su "cogote" y su nariz blanco propicio de los garbanzos arrojaos con cerbatana. Es en este aspecto Sarmiento una prefiguración de Ido del Sagrario: ambos son maestros cuyas habilidades están ahora en desuso, son en cierto aspecto *dómines pedantes* que viven en la más absoluta indigencia, pero mantienen cierta dignidad rayana en la locura. Cuando por primera vez se describe a Sarmiento, son muy claras las reminiscencias quevedianas:

> Sesenta años muy cumplidos, alta y no muy gallarda estatura; ojos grandes y vivos; morena y arrugada tez, de color de puchero alcornoniano y con más dobleces que pellejo de fuelle; pelo blanco y fuerte, con rizados copetes en ambas sienes, uno de los cuales servía para sostener la pluma de escribir sobre la oreja izquierda; boca sonriente,

---

9. Muchos autores se han referido a la importancia de Quevedo en el realismo de Galdós, sobre todo Francisco Ayala, "Sobre el realismo en la literatura, con referencia a Galdós", en *La Torre*, VII, 26, 1958, págs. 21-131.

hendida a lo Voltaire, con más pliegues que dientes, y menos pliegues que palabras, barba rapada de semana en semana, monda o peluda, según que era lunes o sábado, quijada tan huesosa y cortante, que habría servido para matar filisteos (EI, 1461).

Ido del Sagrario es también objeto de crueles burlas, sobre todo de parte de los discípulos, que dibujan su caricatura en el paredón de la calleja de San Marcos con leyendas como ésta: "Ido del Sagrario *calléndose* los calzones". Se ríen sobre todo de su grandísima nuez o "cartílago laríngeo" (N I, 1331). La alta estatura y la flacura provocada por su constitución y por el hambre permanente son rasgos de los que Ido participa con Sarmiento:

> Porque este calígrafo tenía las carnes tan flácidas que toda su ropa parecía escurrirse, y que cada pieza, desde la corbata a los pantalones, estaba más baja del sitio que le correspondía (N I, 1331).

No es Ido un *clérigo cerbatana*, a pesar de ser flaco y de vestir generalmente de negro, pero sí un *cirio*, pálido y con verrugones o lóbulos que parecían gotas de cera que le escurrían por la cara, de expresión llorosa y mística (N I, 1328). Los espeluznantes pelos negros, en mechones como los rojos de Cabra, parecían un pabilo humeante. No es extraño que la reminiscencia de Quevedo aparezca de inmediato cuando Galdós describe la actitud de Pedro Polo con el pasante. Don Pedro trata descortésmente al pobre calígrafo, "más tonto que el cerato simple":

> O bien le saludaba así: "Cierre usted esa boca, hombre, que se le va por ella el alma." Y en verdad parecía que el alma estaba acechando una ocasión para echársele fuera y correr en busca de mejor acomodo (N I, 1332).

Más adelante, sobre todo a partir de *Tormento* y hasta *Fortunata y Jacinta*, Ido irá creciendo como personaje: se intensificará su locura e ingresará en su composición el elemento cervantino. Pero aquí estamos en la prehistoria de Ido, en la raíz misma del personaje, uno de los miserables de esa juvenilla que se evoca en *Fortunata y Jacinta* como ya muy distante. Y esa raíz es una ráiz quevedesca: Ido nace de unas imágenes de Quevedo. El *dómine pedante*, el *clérigo cerbatana*, adquiere una realidad inesperada en pleno siglo XIX.

La locura de Ido del Sagrario es en cierto aspecto una regresión: el personaje añora un tiempo pasado, como el Quijote, en este caso el del honor calderoniano y los dramas de honra reactualizados en los modernos folletines. Pero hay otros locos, en que Quevedo se enlaza una vez más con Cervantes, que son locos de la modernidad: sueñan con modificar la política, la administración, la hacienda. Miau es uno de ellos, y también en su composición interviene el grotesco de Quevedo:

> No era difícil hacer de don Ramón un burlesco Dante por lo escueto de la figura y por la amplia capa que lo envolvía; pero en lo tocante al poeta, había que sustituirle con Quevedo... (N III, 1088).

Miau y Arguelles, el poeta, que se parece al *Alguacil alguacilado*, se internan en el laberinto de la administración en un viaje casi de ultratumba, fantástico. Galdós asocia siempre con Dante el nombre de Quevedo, porque entiende que *Las zahurdas de Plutón* son una versión española de la *Divina Comedia*. Las alegorías de *Los sueños* le parecen alegorías dantescas.

El Buscón y en general Quevedo constituyen parte esencial de la serie de *Torquemada*. El personaje aparece por primera vez precisamente en *El doctor Centeno*:

La mitad se lo llevó un tal Torquemada, hombre feroz y frío, con facha de sacristán, que prestaba a los estudiantes. Sólo por réditos, le comió al manchego la mejor parte de lo que éste había recibido de su mamá (N I, 1415).

Miquis lo llama "maldito prestamista" y Arias lo identifica con el Gobseck de Balzac. Es la presencia de Torquemada, que exige el pago de una suma, la que determina que Felipe se dedique a pedir limosnas para su amo (N I, 1428). En *La de Bringas* se describe a Torquemada "con un cierto aire clerical", y gestos mecánicos como el unir el índice y el pulgar en una rosquilla que eleva hasta los ojos de sus interlocutores. Pero Torquemada se convierte en verdadero pesonaje en *Fortunata y Jacinta*. El no se qué de eclesfástico en su figura se aclara ahora: es el gesto de mansedumbre afectada y dulzona y el incesante parpadeo. Es también hombre alto, más bien delgado, con un mechón de pelos, que forma un enrejado sobre la calva, como coronación de su figura. Como el caso del dómine Cabra, de Sarmiento y de Ido del Sagrario se presenta vestido con ropa oscura que no coincide con las formas de su cuerpo. En su conversación con Lupe la de los Pavos nos enteramos de que el préstamo a los estudiantes de *El doctor Centeno* ("¡Aquel Cienfuegos, aquel Arias Ortiz! vaya unos peines") (N II, 630) se hizo con dinero de doña Lupe que se inició así en la profesión de prestamista. Poco a poco podemos reconstruir, con lo que se va diciendo en estas novelas y en la serie en que el personaje se torna autónomo, la historia de la vida de Torquemada. Se inicia como un pícaro: llegado a Madrid, del Bierzo, sin un sólo centavo, vive poco menos que de limosnas y travesea por las calles enjabonando las escaleras para ver caer a los transeúntes. Don Francisco es un pillo en el sentido nato de la palabra. Es de truhanes, para Galdós, el prestar con un interés usurario; y el prestamista es figura de la picardía moderna.

Torquemada en la hoguera, la primera novela de la serie, se inicia con la descripción de un infierno quevedesco, unas zahurdas económicas, en las que Torquemada, como su homónimo en las de la Inquisición, quema a los infelices que le deben dinero; fiero sayón fogonero de vias y haciendas, habilitado de aquel infierno en el que los deudores mueren desnudos y fritos. (N II, 1338). Galdós extrema ahora los procedimientos del grotesco hasta convertir a los personajes en fantasmones o esperpentos. No es extraño que, con maliciosa ironía, Quevedo sea el apellido del yerno de Torquemada, un mal mediquillo más merecedor de la sátira quevedesca que de su nombre. La serie termina también con escenas características de Quevedo, sobre todo por la simbología antropológica que adquiere la última cena del prestamista, enfermo ya de un cáncer de estómago. Torquemada se mata comiendo, porque es el comer el símbolo de lo que él llama el materialismo de la vida. Galdós ha hecho un juego malabar de palabras, al modo en que lo haría Quevedo mismo basado en la anfibología del término *tacaño*. *El Buscón* es buscavidas. "ejemplo de vagamundos y espejos de tacaños": como lo define Covarrubias, el término *tacaño* se aplicaba entonces al bellaco astuto y engañador. Galdós repite constantemente el término con la significación más moderna, aplicada a Torquemada, hasta acuñar el mote de *gran tacaño de Madrid*; Torquemada es pues un segundo *gran tacaño*. El pícaro culmina en la figura del prestamista, en ese enorme ciclo de la vida económica, de la miseria social. Torquemada es miserable en todos los sentidos del término, archimiserable, protomiserable. Los personajes que representan la proto-miseria están más cerca de Quevedo que del *Lazarillo* o de Cervantes.

Es *Misericordia*, la última historia de miserables en Galdós. Almudena, Frasquito Ponte, el proto-cursi, Benigna misma, reproducen, en algunas de sus características, aspectos entrevistos ya en esos personajes anteriores. *Misericordia* es un carnaval de la miseria, en el que las técnicas literarias de Quevedo se asocian con las pictóricas del Bosco y de Solana. Don Frasquito, a caballo y compitiendo con los cielistas en una excursión a lo largo de Madrid y tendido luego de su accidente, inmóvil en el suelo de la carretera, es una trágica figura de guiñol, desprendida ya del grotesco barroco y entrando en la desolada visión del modernismo: el mundo es un circo, no un teatro, en el que representamos, como bufones, papeles absurdos determinados por un dios tan cruel como arbitrario. En esos momentos, Galdós deja definitivamente atrás a Quevedo y anticipa el arte de Valle Inclán.[10]

Para Galdós, *La Celestina* es una expresión del mismo fenómeno espiritual que la picaresca.[11] Coincide en ese sentido con los críticos contemporáneos, especialmente con Menéndez y Pelayo. El recuerdo de la obra de Fernando de Rojas aparece cuando alguna de las mujeres características que pueblan las novelas tiene visos de hechicera o enredadora. También Lord Gray, el personaje de *Cádiz* asocia a los pícaros con las busconas. Vive él mismo una aventura amorosa facilitada por la intervención de una vieja celestinesca, la tía Alacrana, que habla a Gray como la Celestina a Calisto:

---

10. La relación personal y artística entre Galdós y Valle Inclán ha sido bien estudiada por José Rubia Barcia, *Mascarón de proa. Aportaciones al estudio de la vida y la obra de Don Ramón del Valle Inclán y Montenegro*. La Coruña, Edición Do Castro, 1983, págs. 287-297, sobre todo con respecto a la actividad teatral de ambos escritores. Proporcionan datos de interés sobre esa relación Berkowitz, "Galdós y la generación del 98", en *Philological Ouarterly*, XXI, 1, 1942, págs. 107-120 y más modernamente Allen W. Phillips, "Galdós y Valle Inclán: A propósito de un texto olvidado", AG, XIV, 1979, págs. 105-118.
11. Una vez más debo citar a Casalduero, que en su trabajo sobre "Galdós y la Edad Media", que he utilizado anteriormente, dedico una larga referencia a *La Celestina* en Galdós (págs. 15-16).

–Niñito querido, ¡qué buenas nuevas te traigo esta tarde! Alégrate picarón, y escupe otra moneda amarilla, otro pedazo de sol como el que ayer me diste en premio de mis desinteresados servicios.

El "Par de Inglaterra" llama a la alcahueta "espejo de las busconas" o "brujita mía", terminología que ofende a la así denominada:

> ¿Acaso en mi vida –pregunta retóricamente– he hecho algo que tenga olor de alcahuetería? Aquí donde me ven, yo, doña Eufrasia de Hinestrosa y Membrilleja, soy muy principal y mi difunto fue empleado en la renta del Noveno y el Excusado.

La Celestina galdosiana nos cuenta sus procedimientos para seducir a una joven. hija de una viuda, en beneficio del donjuanesco Lord Gray. La claridad del texto nos exime de comentario y nos obliga a su transcripción extensa:

> Hemos brindado juntas muchos Partenoster, a modo de copas de vino, en esta iglesia del Carmen y en obsequio de nuestros respectivos difuntos. Señora más enseñorada, no la hay en todo Cádiz. En generosidad, no; pero en principalidad, se monta por encima de cuanta gente conozco, que es medio mundo. Me da algunos ochavos y lo que sobra de la olla, que es, dicho sea sin incurrir en el feo vicio de la murmuración, bien poco sustanciosa. Me ha comprado algunas crucecitas de los Padres mendicantes y algunos huesecillos benditos para hacer rosarios. Hoy le llevé mi comercio, y la noble señora hizo que le contara mi historia; y como ésta es de las más patéticas y conmovedoras, lloró un tantico (EN I, 916).

Del parlamento de Alacrana se advierte que la viuda no es tampoco demasiado buena pieza, lo que duplica el engaño, en esos modernos tiempos en que la picardía subsiste profundizada y aumentada. Suponemos que la viuda, que conoce los manejos de tía Alacrana no habría de ser muy inocente en la maniobra de la seducción de su hija. Alacrana encarece sus méritos mientras describe su forma de actuar:

> Después, como ella saliera de la sala para ir a sus quehaceres, quedéme sola con las tres niñas, y allí de las mías. En cuarenta años de piadoso ejercicio en este ajetreo de ablandar muchachas, avivar inclinaciones y hacer el recado, ¿qué no habre aprendido, niñito mío; qué trazas no tendré, qué maquinaciones no inventaré y qué sutilezas no me serán tan familiares como los dedos de la mano? Así es que si me hallo con bríos para pegársela al mismo Satanás, de quien estos picaros dicen que soy sobrina carnal, ¿cómo no he de pegarsela a doña María, que, aunque principalota, se deja embobar por un Credo bien rezado y por una parla sobre la gente antigua, siempre que cuide de adornar el rostro con dos lagrimones, de cruzar las manos y mirar al techo diciendo: "¡Señor, líbranos de maldades y vicios de estos modernos tiempos!" (E N II, 917).

Lord Gray la recompensa con monedas, si no de oro, sí de metal contante y sonante con una observación final que denota la fuente, como si no fuera clara la relación transcripta: "Es ua respetable señora ésta doña Eufrasia. Admirable tipo que hace revivir a mi lado la incomparable tragicomedia de Rodrigo Cota y Fernando de Rojas" (E N II, 917).

La Celestina es una de las novelas que Gloria lee, junto con el *Guzmán de Alfarache*, libro este último cuya lectura el padre autoriza. *La Celestina* entra pues en el juicio general de Gloria sobre la picaresca como literatura deplorable, inmoral, irreverente, antirreligiosa. Pero Galdós no llega a los extremos de Gloria, pues incorpora a sus propias novelas, a partir de entonces, al inolvidable personaje, más finamente trazado que en *Cádiz*. Ya no se trata de una imitación, sino de una elaboración literaria de la fuente. En los *Episodios nacionales* aparecen Trotaconventos y Celestinas. Sobre Trotaconventos y el Arcipreste e Hita hemos hablado ya en su lugar. En *Los duendes de la camarilla* el personaje de Domiciana, que roba con sus hechizos al amante de la hermosísima Lucila, es una monja "descolorida, ojerosa, negros los ojos, la ceja fuerte y casi corrida" (EN II, 1944) como corresponde a una contemporánea de Sor Patrocinio. Sus emplastos farmacológicos tienen que ver más con las modernas cremas de tocador que con los mágicos brevajes de su antecesora:

> Aunque no es una vieja, como Celestina, tiene una edad indefinida, la nariz un tanto chafada, y la boca marruda, el labio tirando a belfo. Compone todo tipo de remedio casero: la leche de rosa para la conservación de la tez, el jabón de tocador Lady Derby, que vende a un excesivo precio, la pasta de almendras para blanquear la piel, lejías jabonosas y polvos de coral. Su cuarto es un verdadero laboratorio donde en periles mezcla sus cocciones y ungüentos (EN II, 1648).

En *La Primera República* aparece también una vieja, "sutil zurcidora", que se llama Celestina Tirado; confiesa haber dejado su antiguo oficio por ser mal mirado de las gentes es ese tiempo, pero sin embargo le ofrece a Tito sus servicios para hacerle superar, con gozosa compañía, las tristezas hipocondríacas y la depresión. Tito acepta los servicios de la alcahueta, "profesión que yo no califico de vergonzosa, sino de muy necesaria a la República, como dijo Cervantes" (EN IV, 614); a la primera República, claro está. Tito se enamora perdidamente de la joven que Celestina Tirado le presenta y reproduce en sus encuentros con ella la fogosidad de actitudes y de lenguaje típica de Calisto en sus secretos coloquios con Melibea. Celestinesca es, como hemos visto, el ama de llaves de Pedro Polo; y Celestina se llama la criada de Refugio en *La de Bringas*. Tienen más originalidad, la tía Roma de *Torquemada en la hoguera* que ha intervenido, aunque como alcahueta deshacedora y no propiciadora, en los amores de don Francisco con su primera mujer. No pudo ser tercera en esos amores porque el tacaño no le pagó nunca ni el valor equivalente a un real, según su queja. En el contexto de la novela, el personaje tiene cierto carácter demoníaco y nos pone en evidencia lo demoníaco también de Torquemada, envuelto entonces en una falsa actitud de santidad para obtener la curación de su hijo. Torquemada increpa a la vieja hechicera:

> —Mira, vieja de todos los demonios, por respeto a tu edad no te reviento de una patada. Eres una embustera, una diabla, con todo el cuerpo lleno de mentiras y enredos... Pero si te conozco, zurrón de veneno... El demonio está contigo, y maldita tú eres entre todas las brujas y esperpentos que hay en el Cielo..., digo, en el Infierno (N III, 1365).

En su desesperada y trágica confusión teológica con respecto al bien y a la retribución divina, Torquemada no advierte que está parodiando el Ave María, con sentido inverso como lo hacen los hechiceros. Pero en general, las Celestinas de Galdós valen más que por el oficio de alcahueta, ya algo innecesario en la sociedad moderna, por la más fascinante actividad de hechiceras, de transformadoras de la realidad.

Son brujas modernas, inspiradas en la literatura esotérica. Este proceso de modernización de las Celestinas se inicia en *De Cartago a Sagunto* donde un personaje asocia brujería con una ciencia más flamante, el ocultismo. Para dominar la ciencia ha aprendido la lengua caldea:

> Yo le digo a Celestina que no necesitamos untarnos para salir por esos aires montados en escobas y llegarnos pian pianito al cerro de Zagarramuni, donde nos espera el Gran Cabrón con toda su corte de rabo y pezuña. Esos son cuentos viejos que ya están mandados recoger. Yo me voy de aquí a las antípodas, o un poquito más allá si quiero, con sólo echar unas palabritas caldeas sobre el humo de un braserillo en que pongo a quemar la muela de juicio de un ahorcado que haya sido viudo tres veces, y dos vértebras de una urraca muerta en estado de virginidad. Yo me desentiendo del Cabrío, que ya está jubilado por viejo, y me pongo debajo del patrocinio de Astarté, diosa de aquellos infiernos que sostiene buenas relaciones con la Humanidad (EN III, 1263).

La enredadora de *La Razón de la Sinrazón*, la última novela de Galdós, se llama Celeste, "aunque su verdadero nombre es Celestina" (N III, 1137). Está entregada al culto. satánico, y es también devota de Astarté, no tanto por preocupación supersticiosa sino más bien por convencimiento filosófico, ya que es, con respecto a sus predecesoras, una Celestina educada. Cuando Arimán le recuerda su nombre auténtico, Celeste, ofendida, se ve obligada a aclararle:

> Si es cierto que con el crisma me lo aplicaron (a ese nombre), yo reniego de él, porque el vano vulgo lo usa para designar a las que practican el vil oficio proxenético, sin elevarse a los filosófi-

cos principios que yo empleo para conquistar almas y llevárselas al señor tuyo y mío (N III, 1137).

Ese señor es Satanás y la hechicera se confiere a sí misma la misión de catéquesis propia de su extraño sacerdocio. Su hechicería tiene algo de arte culinario, como la de las *witches* británicas, en especial las de Macbeth:

> Pongo sobre las brasas el perolito...; saco de esta gaveta los rabos de lagartija, la quintaesencia de la hiel de la raposa en celo; añado el zumo de la yerba sanguinaria cogida en la luna de enero y, por último, la saliva del murciélago rabioso (N III, 1152).

Un gato y un cuervo asisten a esos conjuros. Es la última aparición de la *Celestina* en Galdós. Porque con el triunfo, en *La Razón de la Sinrazón*, de los ideales de Alejandro, la visión picaresca de la vida desaparece para siempre. Celeste se sumerge, junto con Arimán y las demás criaturas diablescas, en el tártaro infernal. El último cuadro de esta novela simbólica se desarrolla en un campo de labrantío en el que se solazan los niños que acaban de salir de la escuela. Los niños comen y meriendan en la escuela, se van a dormir luego a sus casas. Reciben una enseñanza elemental y práctica; presencian la siembra del grano, las recolecciones del trigo, la molienda y la elaboración del pan. Conocen el proceso de la fabricación del vino, el aceite, el queso; saben cómo se transforma el lino en tela; ven la extracción del carbón. Y aprenden así, sin quererlo, Física, Aritmética, Historia Natural, Geografía y cuantas ciencias los preparan para oficios diferentes. En 1915, piensa Galdós en el triunfo de la pedagogía moderna, por obra de la Institución Libre; y cree por consiguiente en el surgimiento de una España distinta. Los pícaros y las Celestinas quedan atrás, junto con los dómines pedantes, los clérigos como Cabra y los niños material y espiritualmente desnutridos, como el pobre Felipe Centeno. Quedan allá, en la España que era "laguna dormida" opuesta a la de ahora, "manantial que salta bullicioso" (N III, 1183).

4. SANTA TERESA Y EL ARTE RELIGIOSO

4. Santa Teresa y el arte religioso

Algunos de los contemporáneos de Galdós juzgan negativamente el planteamiento en sus novelas de la problemática religiosa. Para sintetizar todos esos juicios, basta recordar lo que dice Menéndez y Pelayo en su *Historia de los heterodoxos españoles*: "el heterodoxo por excelencia, el enemigo implacable y frío del Catolicismo, no es ya un miliciano nacional, sino un narrador de altas dotes, aunque las obscurezca el empeño de dar fin transcendental a sus obras." Es Galdós "el infeliz teólogo de *Gloria* y de *La familia de León Roch*," el defensor del latitudinarismo cuya ceguedad lo lleva a plantear "conflictos religiosos tan inverosímiles en España como en los montes de la luna".[1] El juicio es injusto por varias razones, pero sobre todo porque

---

1. En la edición de Madrid, Victoriano Suarez, 1932, VII, págs. 486-487. Creo que la alusión al "miliciano nacional" es una referencia directa a Wenceslao Ayguals de Izco, comandante de las milicias de Vinaroz. Para Menéndez y Pelayo, Ayguals y Galdós se parecen por ser novelistas populares y pensadores heterodoxos en materia religiosa.

Menéndez y Pelayo debería haber destacado el cristianismo esencial e inalterable de Galdós y su inexcusable deber, como novelista que procura describir el espíritu español de su tiempo, de observar y comentar una de las facetas más destacadas de ese espíritu en el siglo XIX. No es ceguedad ni anticatolicismo lo que a Galdós mueve sino un propósito de carácter nacional: determinar las características del sentimiento religioso en España, estudiar sus raíces, analizar sus consecuencias en la vida de los individuos, de la familia, de la sociedad y del estado, y proponer la síntesis transitoria y las soluciones futuras, Menéndez y Pelayo asocia ese propósito con el krausismo como la frase "fin trascendental" lo evidencia.

La evolución del pensamiento religioso de Galdós ha sido bastante bien estudiada desde 1927, fecha en que Stephen Scatori publica su libro La idea religiosa en la obra de Benito Pérez Galdós;[2] en fechas más recientes han contribuido a aclarar aspectos de ese pensamiento los estudios generales sobre el krausismo, sobre la simbología religiosa de Galdós, y sobre las características particulares de algunas novelas que son claves para determinar los momentos fundamentales de ese pensamiento: Doña Perfecta, Gloria, La familia de León Roch, Ángel Guerra, Nazarín y *Misericordia*.[3] No es necesa-

---

2.   Obra publicada en la Bibliothèque Franco-Americaine que dirigía Joseph Calmette, Toulouse- París, 1927.
3.   Interesa sobre todo el libro de Gustavo Correa, *El simbolismo religioso en las novelas de Pérez Galdós*. Madrid, Gredos, 1962 y su estudio "Tradición mística y cervantismo en las novelas de Pérez Galdós 1890-1897", en *Hispania*, LII, 4, 1976, recogido por Douglas M. Rogers en *Benito Pérez Galdós*. Madrid, Taurus, 1973 (El escritor y la crítica), págs. 156-159; el fundamental libro de Francisco Ruiz Ramón, lleno de atinadas ideas y de finísimas observaciones, *Tres personajes galdosianos*. Madrid, Revista de Occidente, 1964; y los siguientes trabajos parciales: J.B. Hall,

rio reptetir aquí esas ideas, aunque habrá que tenerlas en cuenta para el análisis del uso de textos de la literatura religiosa y mística en esas novelas y en otras a las que les confiero ahora importancia. Para ese análisis, agrupo las novelas de acuerdo con cuatro centros de interés: a) la presencia de textos de la literatura mística española, sobre todo de Santa Teresa; b) la imitación de las vidas de Santos (incluida la vida de Jesús); c) la busca de las raíces orientales del misticismo español; d) las religiones esotéricas y la demonología en las novelas del último período.

Esos cuatro aspectos se desarrollan en sucesión cronológica pues están en gran parte asentados en la problemática religiosa europea documentada en las Encíclicas, cuya importancia en la obra de Galdós ha sido ya indicada por otros.[4] En muchos momentos, las novelas de Galdós constituyen una respuesta liberal a las cuestiones debatidas en las Encíclicas, y razón tiene en esto Menéndez y Pelayo con respecto al latitudinarismo. La intransigencia contra el latitudinarismo se agudiza a partir de 1834, fecha en que Gregorio XVI proclama en *Singulari nos* la condena del catolicismo liberal de Lamennais. Como han visto algunos comentadores católicos, esa breve encíclica obliga al asentimiento absoluto y limita en forma práctica la libertad de conciencia y la libertad de expresión atacadas teóricamente

"Galdós Use of the Christ-Symbol in *Doña Perfecta*", AG.VIII, 1973, págs. 95-98; Ciriaco Morón-Arroyo, "*Nazarín* y *Halma*: Sentido y unidad"; Alexander A. Parker, "*Nazarín* or the "Passion of Our Lord Jesus Christ According to Galdós"; Robert Rusell, "The Christ Figure in *Misericordia* (a monograph)" aparecidos estos tres últimos en AG, II, 1967 y reeditados luego en el Anejo de la misma revista.
4.   Ver el Capítulo I del estudio de conjunto de Brian Dendle. *The Spanish Novel of Religious Thesis*, Madrid, Castalia, 1968; págs. 1-20, así como la muy completa bibliografía que allí se recoge.

en la encíclica *Mirari vos* de 1832.[5] Gregorio XVI considera por primera vez como gran crimen los matrimonios mixtos entre católicos y heréticos, estableciendo cuál ha de ser la conducta de los eclesiásticos en esos casos y cuál la del esposo fiel al catolicismo en relación con su cónyuge y con los hijos nacidos de ese matrimonio. Pío IX sigue los pasos de su predecesor, sobre todo por la influencia del Cardenal Jacobo Antonelli.[6] Las Encíclicas *Qui Pluribus* (1846) y *Nostis et Nobiscum* (1849), *Inter Multiplices* (1853), *Singulare Quidem* (1856) y *Quanta Cura* (1864) son hitos fundamentales de la intransigencia vaticana en relación con el pensamiento liberal, las organizaciones políticas secretas, los matrimonios mixtos, la libertad de conciencia (que es libertad de perdición, se dice en *Quanta Cura*), la libertad de prensa, la relación de la Iglesia con los estados, el papel de los eclesiásticos y de la prensa católica en las luchas ideológicas, y el avance creciente del socialismo y del comunismo, doctrinas opuestas a la ley natural y religiosa. (La palabra *comunismo* aparece por primera vez en *Qui Pluribus*). Pío IX es figura central en las novelas de Galdós que se escriben hasta 1878, fecha de la muerte del Papa, o que se desarrollan en el tiempo histórico de su Papado, es

5. Uso el comentario transcripto por Claudia Carlen Ihm a su recopilación *The Papal Encyclicals. 1740-1878*. Raleigh, Mc Grath Publishing Company, 1981, vol. 1, pág. 251. Me valgo de ese volumen y el siguiente, 1878-1903, para caracterizar las Encíclicas de Gregorio XVI, Pío IX y León XIII.
6. Es curioso que Galdós vea al cardenal Antonelli, al menos así lo dice un personaje de poca confianza en *Tormentas del 48*, como a hombre de talento político y de conocimientos en ciencias mundanas; en sus admoniciones hay cierto "aroma de tolerancia". (E II, 1019). Curioso, si se lo compara con la imagen muy negativa que nos transmite de él un novelista tan católico como Luis Coloma. Véase mi "Introducción" a *Pequeñeces*. Madrid, Cátedra, 1975, pág. 23.

decir desde 1846. Figura central no porque sea un personaje de esas novelas, sino porque sus encíclicas, muchas de las cuales se citan, forman parte de la trama de los personajes identificados con esas ideas, desde Coletilla en *La Fontana de Oro* hasta el señor de Lantigua en *Gloria* si tenemos en cuenta el tiempo coincidente en que el novelista escribe; y desde don Matías en *Las tormentas del 48*, amigo del Cardenal Antonelli, hasta Nicolás Rubín en *Fortunata y Jacinta* si tenemos en cuenta el tiempo de la ficción. La intransigencia política, racial, religiosa o con respecto a la Naturaleza humana es tema común de las novelas de ese período.

Con el advenimiento de León XIII, en 1878, una atmósfera de mayor tolerancia da pie a cierto optimismo liberal; aunque en verdad poco hay de diferente en los aspectos esenciales. León XIII sigue refiriéndose a los demonios de la sociedad moderna, entre ellos las libertades, en *Inescrutabili dei Consilio* (1878), al matrimonio mixto (*Arcanum*, 1880), al socialismo (*Quod Apostolici Muneras*, 1878) y a la Masonería (*Humanmum Genus*, 1884); e identifica esos demonios de la sociedad española en la *Encíclica Cum Multa*, 1882, dirigida a los católicos españoles para indicarles su función en la vida política y cultural de España. Pero el tono admonitorio y condenador de Pío IX ha dado lugar ahora a una voz más paternal. En algunas encíclicas como *Rerum Novarum* (1891), el Vaticano se muestra más abierto a la comprensión de los problemas sociales contemporáneos. Basta leer las revistas de la época, como *L'Ilustration* de París en los años del jubileo, para recibir una impresión cabal del entusiasmo carismático que León XIII inspiraba en su tiempo. Hacia 1893, el Papa se abre a la posibilidad de salvar diferencias con las iglesias de la Europa oriental, sobre todo con la iglesia Armenia, problema que le preocupa desde 1854 (*Neminen Vestrum*). Puestas sobre ese contexto las novelas de Galdós, a partir de 1890, fecha de

Ángel Guerra se justifican no sólo como momentos en la evolución del pensamiento de Galdós, sino también como reflejo de los cambios que en su tiempo se experimentan. El espíritu conciliador y de tolerancia, la valoración de los aspectos fundamentales del cristianismo, y el aura oriental que descubro en *Nazarín*, adquieren así plena significación. El espíritu pastoral y ecuménico de León XIII contribuye a la creación de figuras como Leré, Ángel Guerra, Benigna y Almudena. Hasta el interés de Galdós por la demonología coincide con el incremento, a partir de 1900, de prácticas ocultistas que denuncia el Papa en *Humanum Genus* (1884) y que general obras como la de M. Bataille, *Le Diable au XIXe. Siécle* (1894) destinadas a llamar la atención del sumo Pontífice sobre los ritos demoníacos en las logias masónicas, sobre todo la del Palladio bajo el rito escocés, en los círculos teosóficos y espiritistas, y en otras sectas cabalísticas extendidas por Europa, Asia y América.[7] Parece cerca de su cumplimiento el advenimiento de Anticristo, que Galdós identifica en *Casandra* y en *La razón de la sinrazón* con la vieja y renovada intransigencia. Es lógico no desestimar para esas fechas las lecturas de Galdós de las obras de Nietzsche que tiene en su biblioteca;[8] aunque Gonzalo

---

7. *Le Docteur Bataille, Le Diable au XIXéme. Siécle ou les Mystéres du Spiritisme. La Franc-Maconnerie Luciférienne. Révelations Complétes sur el Paladisme, la Théurgie, la Goétie, et tout le Satanisme Moderne. Magnetisme occulte. Pseudospirites et Vocates Procédants, Les Médiums Luci4fériens. La Cabale fin de Siécle. Magie de la Rose Croix. Les Possesions á l'Etat latent. Les Précurseurs de l'Anti-Christ. Récits d'un Témoin.* Paris et Lyon, Delhomme et Briguet, 1984, en 2 volúmenes. Transcribo el largo título porque sintetiza perfectamente el contenido. Bataille asistió a increíbles actos de satanismo en la India, Europa, Africa y América. Su obra es un compendio de demonología décimonónica y lleva interesantes grabados.
8. Según Berkowitz en el citado catálogo, Galdós tiene *La gaya ciencia* y *La genealogía de la moral* en traducción española de

Sobejano no advierte huellas de Nietzsche en Galdós, creo que cierta moda impuesta por la difusión de *Así hablaba Zaratustra* determina la presencia en las últimas obras de ángeles y demonios vinculados con la religión de Zoroastro.[9]

Angeles y demonios están de tal manera presente en la vida espiritual de siglo XIX que hasta la ciencia médica tiene que ver con ellos. Ya en la *Vié de Jésus* de Renán, difundida en España desde 1864, se asocian las enfermedades curadas milagrosamente por Cristo con casos de histeria o de enfermedades psicológicas de ese tipo, cuya curación es posible por medios magnéticos.[10] El magnetismo, ahora definido con el término más preciso de hipnosis, se utilizó en la curación de histéricos desde 1843 en que Jacob Braid publica la relación de los casos por él atendidos. Los trabajos de Charcot sobre enfermos y alucinados se refieren particularmente a casos históricos como el de las monjas de Loudun y al de Santa Teresa.[11] Charcot extiende el análisis de la aluci-

Pedro González Blanco y *Así hablaba Zaratustra*, sin nombre del traductor, todas impresas en Valencia, s.a.

9. Gonzalo Sobejano, *Nietzsche en España*. Madrid, Gredos, 1967, págs. 46-47 y 154. Sobejano sitúa la mayor influencia del pensador alemán entre 1893 y 1910. Véase en especial el Capítulo I, "La crítica española en torno a Nietzsche hasta 1910".

10. Ernest Renan, *Vie de Jésus*. Paris, Calmann-Levy, s.a., Chapitre XVI, "Miracles", págs. 271-279. En la biblioteca de Galdós no figura edición alguna.

11. Aunque las *Leçons du mardi a la Salpêtriére* se publican entre 1888 y 1889, las clases en ese hospital eran ya asunto corriente en la prensa científica y en las revistas de divulgación desde tiempo atrás. Las otras obras de Charcot que importan, *Les démoniaques dans l'art* (1887) y *Clinique des maladies du sytéme nerveux* (1892-1893) fueron menos conocidas por los profanos. Charcot prologa el importante libro de Paul Marie Richer, *Études cliniques sur la grande Hysterie*. Paris, 1885, en que se pasa revista a todos los casos de místicos y alucinados en la historia de la humanidad y en el arte que el siglo XIX conocía, entre ellos el de Santa Teresa.

nación a la literatura y el arte. Lombroso despierta el interés de Max Nordeau, ya en nuestro siglo, por la investigación del misticismo en las manifestaciones intelectuales modernas, desde el tolstoismo hasta el simbolismo francés.[12] La interpretación de la mística como un fenómeno de sublimación psicológica de impulsos sexuales reprimidos es pues anterior a Freud e interesa a Galdós desde muy temprano.[13] En su biblioteca figura el libro de Victor Melcior y Ferré, *La enfermedad de los místicos. (Patología psíquica)* publicado en 1900 pero conocido en publicaciones parciales desde 1875.[14] Es una útil revisión de las experiencias médicas contemporáneas. Las menciones a Santa Teresa aparecen en la obra con frecuencia.[15]

---

12. *Dégéneration* de Max Nordeau es obra de 1895; yo utilizo la versión inglesa de la segunda edición, publicada en Londres, William Heinemann, en el mismo año. Interesa sobre todo el Book II, "Mysticism" que el autor analiza como "delirio religioso".

13. Me resulta difícil aceptar ahora el juicio general de Rafael Bosch en su artículo sobre "La sombra y la psicopatología de Galdós", en AG, VI, 1971, pág. 38, cuando afirma que en 1871 no existían casi estudios sobre la enfermedad de los místicos. Ya desde 1838, se conoce el carácter de ciertas alucinaciones religiosas a través de la obra de Esquirol, *Des Maladies Mentales considerées sous le Rapports Médical, hygiénique et medico-legal*. Paris Bailly Bailliere, 1938, abreviada en la versión española de Rafael de Monasterio, *Tratado completo de las enajenaciones mentales*. Madrid, 1847.

14. Barcelona, Juan Torrents y Coral, 1900. El autor resume la historia clínica de Santa Teresa como clave para entender su tesis, según la cual ciertas características de la fisiología y de la psicología pueden generar hábitos de alimentación que facilitan los delirios místicos. Es obra muy documentada y de fácil lectura.

15. Para concluir con la psicopatología de Santa Teresa recojo el resúmen que sobre el problema proporciona Silverio de Santa Teresa en su edición de las *Obras de Santa Teresa de Jesús*. Burgos, El Monte Carmelo, 1915: "Una reacción llamada espiritualista procuró sacudir de sí el yugo de este feroz materialismo y

No sorprende pues que los personajes femeninos de Galdós sean en muchos casos mujeres histéricas que subliman su insatisfecha sexualidad en arbatos religiosos. En ese contexto, la utilización de las obras de Santa Teresa sirve como la de las obras de caballería en Cervantes; es la lectura que genera ese tipo de locura individual o colectiva. Cada vez que un personaje femenino tiene tendencias a la vida religiosa, el modelo de Santa Teresa aparece de inmediato. La *Vida* de Santa Teresa es, despué del Quijote, la obra española más presente en la novelística de Galdós desde *La Fontana de Oro* hasta *Misericordia*. Galdós evita juzgar directamente a Santa Teresa, pero lo hace a veces por boca de personajes como Aguado en *La Incógnita* (N II, 1150). Su crítica va dirigida hacia las imitadoras de la Santa, mujeres vulgares que no comprenden las sutilezas dogmáticas y psicológicas, ni el estilo conceptista de los místicos. Los personajes que leen a Santa Teresa asimilan erróneamente el lenguaje sensual y las imágenes del amor humano que la escritora utiliza

---

positivismo deprimente, y de nuevo volvieron a estudiarse los fenómenos místicos, calificados con el nombre de Misticismo, si bien con criterio disparatado y sin consistencia científica. 'El Misticismo es una enfermedad senil, indicadora del agotamiento de energía de los pueblos viejos,' habían dicho por labios de Clemencia Roger los darwinistas y spencerianos; es un fenómeno morboso que los psiquiatras deben analizar, replicaban Max Nordeau, Lombroso, Charcot y otros de la misma escuela, gastada y desacreditada apenas nacida" (I, pág. XLVII). En ese juicio y en otros, el autor se apoya en el abate M.J. Ribet, en cuya obra *La Mystique divine distinguée des contrefaçons diaboliques et des analogies humaines*, publicada en París en 1903, "ha tratado extensamente de los fenómenos místicos y de sus relaciones con el histerismo, la neurastenia, epilepsia y otras enfermedades nerviosas, lo mismo que de las conclusiones materialistas de la famosa escuela de la Salpêtriére" (pág. L, nota 1). A partir de allí se extiende sobre el tema hasta llegar a la página LVI.

para parangonar la experiencia del amor divino. Paulita Porreño, en *La Fontana de Oro* es un personaje analizado muy tempranamente desde la perspectiva de la literatura médica. Su entusiasmo religioso no es más que una desviación de su instinto sexual. Es un caso patológico de mujer cuya juventud y lozanía se han marchitado ya en las prácticas ascéticas y que descubre tardíamente su realidad al confrontarse con Lázaro: el fervor religioso se transforma entonces en pasión sexual. El personaje cambia cuando reconoce el valor de la vida natural en detrimento del ascetismo. La figura de Paulita Porreño es la típica de las beatas, pero Galdós utiliza ciertos términos como *hábitos de contracción y movimientos, expresión glacial de la mirada, calor oculto*, que proceden de la sintomatología médica y llevan al lector muy tempranamente a identificar el personaje con un caso de enfermedad. Galdós intenta desorientarnos, asegurándonos la sinceridad del personaje y el fondo misterioso de un alma que el observador superficial no puede apreciar (NI, 76). Ningún médico niega la sinceridad de las alucinadas y la realidad de los gestos que el profano ve sin entender su motivación profunda. La ironía de Galdós juega aquí una carta secreta: describe como observador superficial, pero observa como médico que conoce las causas y las consecuencias de la enfermedad sin comunicárselas a los demás. Paulita lee libros ascéticos y religiosos, como un *Florilegio sagrado* en latín y el *Thesaurum breve Patrum ac Sentenctiarum*. Y también lee a San Juan Crisóstomo cuya obra tiene en las manos cuando por primera vez sufre una de las distracciones contra las que Santa Teresa previene a sus monjas durante la *Oración de quietud*.[16] Y esa distracción no será obra del demonio sino, irónicamente, de la misma Santa.

---

16. *Obras...*, en la edición y el tomo citados, pág. 112 y *passim*.

Paulina rechaza a San Juan Crisóstomo, porque no se siente en disposición de leer teología seria; dispuesta a rezar tiende la mano para tomar un breviario:

> "Pero en lugar de tomar el libro de oraciones tomó un libro de Santa Teresa y lo abrió maquinalmente" (NI, 107).

En verdad, el personaje tiene en sus manos ahora un ejemplar de *Obras* de Santa Teresa que recoge varios textos, agrupados en un volumen común. Un párrafo de Santa Teresa aparta a Paulita, casi definitivamente, del rezo propuesto:

> De dos maneras de amor quiero yo ahora tratar: uno es puro, espiritual, porque ninguna cosa parece la toca la sensualidad ni la ternura de nuestra naturaleza; otro es espiritual y que junta con él nuestra sensualidad y flaqueza (NI, 107).

Se trata de un fragmento del Capítulo V del *Camino de Perfección*. Dispuesta a seguir leyendo, Paulita se detiene en los bellísimos *Conceptos del amor divino*, en el que la Santa parafrasea y explica el *Cantar de los Cantares*. El autor transcribe frases del final del Capítulo V, "Sostenedme con flores y acompañadme con manzanas porque desfallezco del mal de amores" que une con frases del epígrafe del Capítulo VIII, "Oh, ¡que lenguaje tan duro para mi propósito! ¿Cómo, esposa santa, matáos la suavidad? Porque según he sabido algunas veces es tan excesiva que deshace el alma de manera que no parece ya la ley para vivir y pedir flores."

Al persistir Paulita en su propósito, sus ojos caen sobre otro párrafo que el autor transcribe:

> Es pues esta oración una centellica que comienza el Señor a encender en el alma del verdadero amor

suyo, y quiere que el alma vaya entendiendo qué cosa es este amor con regalo (NI, 109).

Frase del capítulo XV de la *Vida*. La selección de textos es pues algo azarosa y evidencia que Galdós espiga de una edición de su biblioteca, a la busca de párrafos que aunque aplicados al amor divino permitan una interpretación diferente. El texto teresiano acompaña así la transformación psicológica del personaje. Cuando al final de la novela, Paulita expresa la angustiosa realidad de su psicología lo hace casi con la frase teresiana "vivo sin vivir en mí" (NI, 183).

En *La familia de León Roch* Santa Teresa cumple una función distinta. Lejos de distraer a los personajes de la actitud contemplativa o piadosa, los lleva a extremar las manifestaciones de su fe. Tanto María Egipcíaca como su hermano Luís Gonzaga experimentan una temprana vocación religiosa que los impulsa a la acción misional. No es extraño que en la recapitulación de la vida de los personajes aparezca casi literalmente reproducido el Capítulo I de la *Vida* de Santa Teresa:

> Leían a menudo vidas de santos, única lectura que en aquellas soledades era posible; y tan a pecho tomaron ambos niños las estupendas historias de padecimientos, trabajos y martirios, que sintieron deseos de que los martirizaran también a ellos, y ocurrióles la misma idea que cuenta Santa Teresa en el relato de su infancia, cuando ella y su hermanito discurrieron ir a tierra de infieles para que les cortaran la cabeza (N I, 800).

María Egipcíaca y Luis Gonzaga viven en un "país desértico, lejos de toda humana sociedad." En doble sentido califica ahora a estos niños como "niños del yermo", porque nacen y viven en un desierto y tienden al yermo ascético de San Juan de la Cruz. Luego nos enteramos, en un parlamento en que Luis Gonzaga refiere la misma experiencia, de que se trata de un viejo pueblo de Ávila, la cuna de Santa Teresa:

> Nos criamos juntos y nuestras inclinaciones como nuestras caras se parecían; a los dos nos gustaba la vida espiritual y en la edad en que todos los niños juegan, nosotros quisimos ser martirizados. Nuestra vida en aquel adusto pueblo de Ávila echó el cimiento en el que luego cada cual debía edificar su piedad (N I, 836).

Las noches de Ávila, que se describen desde el recuerdo del autor tanto como el del personaje, las noches de ese "querido páramo", le parecen a Luis un símbolo del destino del hombre. En esas noches sublimes que envuelven el suelo desértico y el cielo fulgurante, el hombre, determinado por el suelo, es –dice Galdós– un árbol misterioso que sólo tiene raíces, es decir adhesión a ese suelo, y flores, es decir ensoñaciones ideales. Lo que no tiene es cuerpo, realidad (N I, 837). Los dos personajes, uno de ellos en la vía del monacato y otro en la de la vida hogareña, son dos casos clínicos de monomanía religiosa que desvirtúa el sentido de ambas vías, pues terminan ambos por no servir ni para el monacato ni para el matrimonio. Luis Gonzaga, como el santo que le da nombre, es hombre de sensibilidad enfermiza en quien la castidad resulta de su falta de energía más que de la virtud. El error de Luis Gonzaga está en desconocer la realidad humana por falta de realidad propia y en transformar en valioso lo que esencialmente es carencia. Su amor es carencia de amor, su interés por la salvación del otro, falta de respeto por el otro, su religiosidad, falta de auténtico amor de Dios. María Egipcíaca constituye en cierto aspecto un caso contrario; es un caso de desengaños místicos como los que el Padre Auriol describe y que Valera, siguiendo a Auriol, ejemplifica en *Pepita Jiménez*.[17] Formada por la naturaleza para la vida sensible, María Egipcíaca se entrega a un misticismo desenfrenado. La hermosa estatua de carne se transforma, según León Roch, en "una odalisca mojigata" (N I, 821). El marido, el autor y el lector juzgan su trágico caso como uno de los casos de histeria que Galdós conoce y de los que hace continua mención en la novela. La contradicción entre la carnalidad del personaje y su ascetismo torna evidente el sentido de la utilización del nombre de María Egipcíaca, prostituta y santa según la hagiografía popular.

María es un personaje impregando de los prejuicios teóricos del autor. Es incapaz de concebir la religión en forma inteligente o abstracta sin la complicidad dudosa de las impresiones sensuales. Aprende la religión viendo imágenes de las iglesias, y son esas imágenes las que expresan para ella todo el *pathos* religioso. No sólo necesita ver con los ojos, sino palpar el mármol con las manos como si fuera carne, y oler el perfume de incienso. Esta pobre mujer es una de las criaturas más sensuales creadas por Galdós; y el contraste de esa sensualidad desbordante y la voluntad de anularla da al personaje una dimensión dramática, lo torna víctima y victimario al mismo tiempo. La agresiva carga polémica del personaje no le quita esa dimensión trágica y en el capítulo en que se viste de gala para volver a seducir al esposo y parece por fin dispuesta a una entrega carnal, más que su frialdad nos impresiona la falta de sensibilidad de León Roch y su incapacidad de entender a su mujer.

---

17. *Desengañados místicos a las almas detenidas o engañadas en el Camino de Perfección,* por el Rdo. Padre Fr. Antonio Arbiol. Barcelona, Tomas Piferrer, 1772. Arbiol trata también de la "oración mental".

María Egipcíaca acusa de materialismo a su esposo, y es ella, en última instancia, la expresión del materialismo sensible. León, por el contrario, parece capaz de interpretar las sutilezas del espiritualismo místico. María Egipcíaca encarna además todos los caracteres de la piedad popular. Se entusiasma con los libros de rezos de estilo gongorino (ella es una Minerva de ojos verdes) y con las abundancias retóricas que apartan de la sencillez evangélica. En una palabra, su devoción respira vulgaridad:

> María apacentaba su piedad, triste es decirlo, con lo peor de esta literatura religiosa contemporánea, que es, en su mayor parte, producto de explotaciones simoníacas, literatura de forma abigarrada y de fondo verdaderamente irreligioso, tirando a sensual que, combinada con el periodismo y con las congregaciones, es uno de los negocios editoriales más extensos de la librería moderna.

Esa "religión de turbamulta" asocia misticismo y arte gitano. Galdós establece claro estos serios distingos entre tal vulgaridad y el arte exquisito de la santa de Ávila:

> (María) admiraba a Santa Teresa porque le habían enseñado a admirarla; pero no comprendía sus ingeniosas metafísicas. Aquellos amores seráficos eran para ella un juego de lenguaje o no eran nada. No se recalentaba el cerebro pensando en las maneras mas sutiles de amar al Señor, no poseía tampoco un gran corazón que la permitiera prescindir de maneras sutiles (NI, 891).

Si retornamos al texto de Gloria entenderemos mejor la crítica encubierta a los alambicamientos místicos que la gente común no puede entender y no son por consiguiente edificantes. Como ser burdo y sensual, María sólo entiende la misericordia de Dios, y aún así necesita vincularla con reliquias para hacerla visible. Las perfecciones morales de Dios sólo se le evidencian en la perfección estética de las imágenes. María Egipcíaca está al respecto en el mismo nivel de Marianela, también incapaz de valorar el espíritu religioso sin la concreción de una forma artística. Hasta el ideal de la Virgen María necesita, para hacer llorar a María, ser remojada, según Galdós, en agua de Lourdes.

No se trata pues de una mística sino de una pobre beata cuyo camino hacia el amor armonioso con su marido ha sido torcido por la intervención nefasta de un hermano jesuita y de un sacerdote confesor. Sus sentimientos primarios e inexpresados llevan a "la pobre santa y mártir" a la más dolorosa experiencia. Como el amor no logró desatar ese fondo primordial de emociones, no se produjo en su ser la esperada revolución de los sentidos que en todo ser humano lleva a la madurez y a la vida adulta.

> Esta revolución –dice Galdós– la hace algunas veces el amor; pero no es seguro porque el amor, en su sencillez inocente, se deja vencer por la caricia falaz de su hermano, el misticismo; quien le hace siempre con éxito es el mayor monstruo, la terrible ira calderoniana, los celos... (NI,815).

Son los celos en verdad los que ya tardíamente descubren al personaje su verdadera identidad y su profundo amor por su marido. Pero, como en el caso de Paulita Porreño, es ya tarde. María habla ahora desde "la hondura de su angustia" (NI, 947), con palabras incomprensibles para su confesor y sin embargo tan terriblemente claras:

> Que usted, cercenando poco a poco los afectos para devolvérselos a Dios, cercenando las ideas para que no las manchara el ateísmo, quitándome todo lo del corazón y no dejándome más que un

> deber, había hecho de mí la concubina de mi
> marido... (NI, 948).

Y ante las expresiones de espanto del confesor, a quien promete obediencia, dice llena de emoción "¿qué se hace para dejar de sentir lo que se siente?" (NI, 941). Su descripción entonces del marido implorándole cariño y ella sólo atenta a sus rezos, es en última instancia un cuadro patético de la falta de caridad esencial de la clerecía a la que Galdós fustiga con inusual crudeza. La unión matrimonial, sintetizada en la frase latina que encabeza el capítulo "Erant duo in carne una" queda desvirtuada por el consejo de Luis Gonzaga, en que se advierten los ecos de las encíclicas contra matrimonios mixtos.

> Entre él y tú no puede haber jamás sino unión
> exterior, y vuestras almas estarán separadas por
> los abismos que hay entre el creer y el no creer.
> Amor verdadero de esposos no puede existir entre
> vosotros (NI, 838).

En *El Doctor Centeno*, Pedro Polo es también, como María Egipcíaca, hombre incapaz de entender las sutilezas de la literatura mística. Lee libros vulgares de divulgación religiosa como *Cadena de oro de Predicadores*, el *Alivio de los Párrocos* o bien el socorrido Troncoso, únicos libros religiosos que guardaba..."(NI, 1341). Hombre también de naturaleza sensual, en vez de doblegarla con el ascetismo, como la mujer de León Roch, deja salir sus impulsos: es el prototipo del cura inclinado a los placeres gastronómicos y del amor que adquiere una dimensión trágica sólo por la contradicción entre sus tendencias naturales y su investidura religiosa. Cuando siente el llamado de la carne que lo incita a buscar aventuras, Polo trata de distraerse con la lectura de libros vulgares; pero en cambio,

Los grandes místicos se acordaban mal de su viril temperamento, hostigado de inclinaciones humanas. No los comprendía bien. Las sutilezas admirables de que tales libros están llenos no le cabían a él en su tosco cacumen, molde de resueltas acciones más bien que de alambicados pensamientos; ni tampoco tenía gusto literario bastante fino para poder saborear el gallardo y elegante estilo de aquellos buenos señores. Los poetas sagrados se le sentaban en el estómago –pase esta frase vulgar que él usaba con frecuencia– y los versos de monjas le daban náuseas (NI, 1351).

¿Es este un juicio el personaje o del narrador? Galdós participa sin duda de esa misma idea, ya que ella coincide con lo dicho en *Gloria* años antes. Santa Teresa se reduce al nombre de la constelación con que Federico Ruiz reemplaza en su *Almanaque astronómico* el nombre pagano de la Espiga o Alpha de la Virgen (NI, 1359).

A partir de 1887, los personajes religiosos de Galdós abandonan las honduras metafísicas y los alambicamientos retóricos de la mística para transformarse en religiosos activos, fundadores de conventos y de órdenes o en penitentes contemplativos. El cambio fundamental ocurre, como veremos luego, en *Ángel Guerra* (1890) pero se anuncia ya en *Fortunata y Jacinta*[18] (1886), Los clérigos o ermitaños andantes constituyen también otro avatar de Santa Teresa, la fundadora de conventos, y las referencias librescas coinciden ahora con los episodios de la *Vida* en que se habla de esas

---

18. Para estudiar el sentido religioso de Fortunata y Jacinta, es útil la revisión de James Whiston, "The Materialism of Life: Religion in *Fortunata y Jacinta*", AG XIV, 1979, págs. 65-81. Sobre el personaje de Guillermina Pacheco, ver Denah Lida, "Galdós y sus santas modernas", AG, X, 1975, págs. 19-31.

fundaciones o con el *Libro de las fundaciones*. La primera "santa y mártir, fundadora de conventos" es Ernestina Manuel de Villena, de quien dice Galdós en sus *Memorias de un desmemoriado* que merece la canonización por haber recaudado en palacios y en chozas limosnas con que crear el asilo en que reposan sus cenizas (NIII, 1438). Galdós transforma al personaje real en la Guillermina Pacheco de *Fortunata y Jacinta*. Guillermina es una mujer pequeña y graciosa, que se describe como una imagen en miniatura, como la figura de una aldeana en un Nacimiento o Belén. Se niega a comer comidas suculentas y entretiene el ocio tejiendo, cosiendo camisolas, calzones y chambras para sus protegidos. Según la historia que cuenta Zalamero, Guillermina se entregó a la devoción y a la caridad propagandística y militante después de un fracaso amoroso. Pero el personaje se niega a abrazar la vida contemplativa, ya que su temperamento "soñador, activo y emprendedor", y sus "ideas propias" e "iniciativa varonil" la empujan a la acción militante. Su carácter es réplica de uno de los aspectos de la personalidad de Santa Teresa. Es mujer libre: no quiere afiliarse a rigurosas órdenes religiosas; no tiene paciencia para rezar ni para ser soldado de las Hermanas de Caridad. La suya es una religiosidad civil, casi sin ataderos eclesiásticos. Aunque santa laica, Guillermina se siente en sí la llama vivísima del amor divino:

> La llama vivísima que en su pecho ardía no le inspiraba la sumisión pasiva, sino actividades iniciadoras que debían desarrollarse en libertad. Tenía un carácter inflexible y un tesoro de dotes de mando y de facultades de organización que ya quisieran para sí algunos de los hombres que dirigen los destinos del mundo. Era mujer que cuando se proponía algo iba a su fin, derecha como una bala, con perseverancia grandiosa, sin torcerse nunca ni desmayar un momento, inflexible y sere-

na. Si en este camino recto encontraba espinas, las pisaba y adelante, con los pies ensangrentados (NII, 510).

Esa mezcla de misticismo y de tendencia a la vida activa es muy característica en la personalidad de Santa Teresa. Pío XII caracteriza a Santa Teresa de modo parecido en su encíclica del 31 de marzo de 1914, *Acta Apostolica Sedis*. Guillermina y Santa Teresa imitan a Cristo en su desprecio por los dolores de la vida terrena.

Guillermina funda con varias amigas una asociación de socorro domiciliario; las demás trabajan sólo por vanidad y sin energía. La santa no renuncia a vestirse de gala y adopta traje monacal, liso, de merino negro, manto, pañolín holgado y oscuro, zapatos holgados y feos. Cuando descubre su talento de fundadora, sus compañeras la consideran loca, ya que es tarea imposible y acto de fantasía demencial pretender fundar un asilo de niños en tiempos modernos. Esa opinión de los personajes no es ahora compartida por el autor, como podría haberlo sido en épocas anteriores. Ahora defiende esa actitud demencial como acción positiva y moderna vinculada con las asociaciones de caridad. Guillermina sostiene la fundación con sus propias rentas y con los donativos de otros parientes ricos. Terminados los fondos, se convierte en una pordiosera en el buen sentido del término. Usa a Dios para cumplir con sus propósitos de fundadora en una actitud utilitaria y práctica: crear un edificio que albergue a 200 o 300 niños; ese edificio es el que se va levantando durante el desarrollo de la novela y ayuda a determinar el paso del tiempo.

La psicología de Guillermina coincide con la de Santa Teresa según lo que dice la Santa misma en los capítulos XXXII y XXXVI de las *Fundaciones*, cuando cuenta los problemas que rodean la construcción del convento de San

José en Ávila; ese relato es el que Galdós pudo conocer mejor por ser capítulo incorporado a las ediciones de la *Vida*. En ese capítulo se describe el temple de la fundadora que llevada también por la vivísima llama del amor divino, despliega dotes de mando, perseverancia y sobre todo la capacidad de soportar males físicos y morales sin desfallecer. La comparación con Cristo y sus pies ensangrentados, que utiliza Galdós para caracterizar la actitud de Guillermina, se relaciona con las continuas comparaciones de Santa Teresa de sus dolores con los padecimientos más humanos de Cristo. La sólida religiosidad de Guillermina, sin aspavientos místicos, contrasta en la novela con la propensión al misticismo de su protegida, Mauricia la Dura, cuando está entregada a los excesos del alcohol. La visión de Mauricia tiene que ver también entre otros modelos con las apariciones de la Virgen María que Santa Teresa describe, caracterizadas por la presencia de la luz, la figura y la ropa; en el proceso de fundación del convento avilense, Santa Teresa ve a la Virgen envuelta en suave resplandor y con vestido blanco. Mauricia la Dura es todavía una figurilla naturalista, con sus *delirium tremens*, sus súbitas alegrías y sus violentas depresiones. Sobre ella triunfa Guillermina, la religión caritativa y práctica. Con Guillermina nace un tipo de mujer galdosiana que ha de concretarse más artísticamente años después en la Benigna de *Misericordia*.

El personaje de Marcela en *La campaña del Maestrazgo* está concebido en parte sobre el modelo de su homónimo cervantino, pero en parte también sobre Santa Teresa. Como la Marcela de Cervantes, vive disfrazada de pastora en la soledad del campo, y desprecia a su enamorado, en este caso Nelet, aunque no pastor, sí guerrillero carlista. No se trata tanto, sin embargo, de paralelismo de situación como de similitudes en el carácter. Las dos Marcelas son mujeres independientes, con una fortaleza inesperada en personajes femeninos, y muy celosas de su libertad. La Marcela de Galdós es más bachillera y sabia, por poseer un lúcido ingenio y lecturas teológicas. Como las santas bachilleras "lo mismo platicaba de teología que enjaretaba versos y prosas de los Sagrados Misterios" (EN II, 816). No existe monja más sabia que ella y todas las autoridades la respetan:

> Sor Marcela, a quien se creyó muerta o extraviada, apareció en una ermita solitaria de la sierra de los Monegros, vestida con un saco al modo de penitente, el cabello suelto, como pintan a la Magdalena, sólo que más corto, los pies descalzos, una cuerda a la cintura, y diz que iba predicando a los pastores y gente rústica para que se apercibiesen a la guerra en nombre de Cristo, peleando contra los dos ejércitos, cristino y carlino, según ella legiones de Satanás que quieren dominar la tierra y establecer el imperio de la injusticia (EN II, 817).

Este hermoso personaje galdosiano, figura que escapa de un retablo "al modo de mujer de la Biblia", personaje cuya fiereza interior lo lleva al crimen en defensa de su virtud, es una representación total del idealismo de las monjas andariegas en ese difícil período de luchas religiosas. Ya Galdós crea sobre el esquema cervantino sin pretender escapar de su modelo. *La campaña del Maestrazgo* es novela del año 1899. Un año después comienza la composición de *Ángel Guerra*.

Aunque Galdós es considerado autor de novelas urbanas características del realismo decimonónico, no aparecen en él descripciones de ciudades con demasiada frecuencia. Barcelona se ve en *Fortunata y Jacinta* a través del prisma de la joven novia y muy brevemente y circunstancialmente; en *La loca de la casa*, obra situada en Barcelona, no hay descripciones dado el carácter dialogado del relato. Es muy significativa la ausencia de ciudades españolas (como Barcelona misma, Zaragoza, Oviedo, Cádiz, Salamanca, Sevilla, etc.) que aunque se mencionan y constituyen el centro de alguna acción en los *Episodios* o en las novelas no han sido aprovechadas en detalle para la ambientación de las historias que se cuentan. Las excepciones son el Madrid de *Fortunata y Jacinta* y el Toledo de *Ángel Guerra*. Madrid es el marco necesario de las novelas de la locura crematística o novelas en cierto aspecto sociales, Toledo es la capital de la vida religiosa española y de la locura mística. Es lógico que sea allí donde se opera la evolución espiritual de *Ángel Guerra* y con ella la de Galdós mismo. En esa evolución, Ángel Guerra, madrileño, liberal de tendencias anarquistas, hombre de armas como su apellido lo indica e idealista incrédulo en materia religiosa, acepta paulatinamente en su contacto con Toledo y por el amor que siente por Leré, verdadera alma de la ciudad, los valores de la vida contemplativa, de la vocación religiosa y aún de la vida natural campesina. Guerra se transforma en Ángel, pero no puede finalmente vencer su contradición ni lograr la síntesis deseada. Con todas las cautelas necesarias, es inevitable afirmar que es *Ángel Guerra* la novela más filosófica de Galdós, y su novela más religiosa, aunque esa religiosidad se integra en el marco de las doctrinas idealistas del siglo XIX y no responde totalmente a la visión ortodoxa que muchos críticos contemporáneos de Galdós hubieran querido. La oposición dialéctica Ciudad-política de armas-incredulidad versus Campo-caridad y amor humano-misticismo es la contradicción de la vida española desde la Edad Media, reproducida con gran intensidad en las guerras del siglo XIX: el conflicto de Ángel Guerra es tanto histórico como individual.

Esa contradicción no resuelta es la que provocará la muerte de Ángel Guerra. Las actitudes humanas que representan lo esencial del conflicto son la violencia asesina ante la que Guerra sucumbe y la caridad. Toledo alberga en sus templos las reliquias de la expresión religiosa, del amor divino; pero en sus barrios bajos se esconde todavía la criminalidad picaresca. El Toledo de Galdós es además depositario de las riquezas artísticas de España. En ninguna otra novela ha usado con mayor provecho su sensibilidad para comprender las artes plásticas.[19] La pintura de asuntos religiosos y la imaginería eclesiástica adquieren inusitado relieve. Por momentos, las figuras de los personajes, como en *La campaña del Maestrazgo*, se desprenden de esa iconografía, como lo veremos de inmediato.

Toledo es además, para Galdós, centro del orientalismo místico. No le parece ciudad europea sino asiática como Samarcanda o la corte de Tamerlán, ciudad de edades remotísimas, con un especial sentido de la geometría y de la propiedad (NIII, 128). Sus callejas transversales son resabios de edades muertas. Toledo es, como corresponde a esa tradición asiática, "pueblo de mucho cleriguicio" (NIII, 103). La misma Leré es "figura de otros tiempos –decía Ángel para sí– y asisto a una milagrosa resurrección de lo pasado" (NIII, 155). Recordemos las frases similares con que el personaje de *La campaña del Maestrazgo* entra en los países del norte de España. Las casas, la religiosidad, la vida apicarada de los Belenes, las villanas del "castañar", los cigarrales del cura Casado, la vida de los "rústicos" como Tirso o de los marinos que van a América como don Pito, ayudan a remontarnos a un tiempo histórico más o

---

19. Ha trabajado extensamente sobre la función de las artes plásticas en Galdós, Peter A. Bly, *Vision and the Visual Arts in Galdos. A Study of the Novels and Newspapers Articles*. Liverpool, Francis Cairns, 1986 (Liverpool Monographs in Hispanic Studies). Ver aemás J.J. Alfieri, "El arte pictórico en las novelas de Galdós", AG, III, 1968, págs. 79-85; Geraldine M. Scanlon, "Religion and Art in Angel Guerra", AG, VII, 1973, págs. 99-105.

menos cercano a los Siglos de Oro. No es extraño que se mencione tanto al Concilio de Trento en el cuerpo de la novela. En la monografía que Galdós escribe años después y que llama "Sensaciones artísticas en la ciudad de Toledo" se refiere a *Ángel Guerra* en el siguiente contexto:

> (Toledo) Es un desierto; pero no el desierto de las grandes llanuras que engaña la vista y adormece el espíritu por su tranquila monotonía; es ese desierto de los anacoretas, lugar escogido por el ascetismo entre los más horribles de la tierra, páramo de asperezas y peñascos continuamente ensordecido por vientos espantosos, propio para aquelarres y otras asambleas del mismo jaez, lugar de magias y conjuros, de pesadillas místicas y enajenaciones teológicas, escenas donde la imaginación se complace en colocar a los misántropos de la religión, "el mágico prodigioso" y "el condenado por desconfiado" (NIII, 1345).

Enrique de Villena, mágico prodigioso, aparece citado en el contexto de la novela. El Conde de Orgaz representa en cambio la caballería cristiana. No es extraña la presencia de Santa Teresa, no nacida en Toledo, pero si en un parecido yermo, el de Ávila, y fundadora de conventos toledanos. Leré representa la actitud activa teresiana. Leré es figura "de la cantera de las grandes figuras históricas, que han dejado algo tras de sí los fundadores, los conquistadores" (NIII, 138-139). En la citada monografía, dice Galdós que al hablar de Toledo le asalta "la memoria de los héroes picarescos" de la novela española, pensando sin duda en las experiencias toledanas del Lazarillo. Conquistadores, fundadores, místicos, pícaros, magos y brujas, son todas expresiones del mismo mal histórico.

El viaje de Guerra a Toledo, con el que se inicia la segunda parte de la novela, es un viaje pues a la raíz del espíritu español y es el resumen de las reiteradas experiencias de Galdós en el seno de la Ciudad Imperial, con abundantes consideraciones sobre el arte religioso.

El contraste indicado más arriba entre el espíritu guerrero de la conquista y el misticismo español (Guerra y Ángel) tiene un equivalente en dos diferentes imágenes plásticas. Las guerras civiles, de las que Ángel Guerra participa en la primera parte de la novela, se presentan con imágenes de Goya. El 2 de mayo es para Guerra la fecha bendita de los tiempos que "acuden a justificar bajo el rótulo de interés nacional toda contienda anticristiana" (NIII, 22). Y al recordar el fusilamiento de los sargentos de San Gil, Guerra describe la escena reproduciendo casi la pintura de Goya sobre los sucesos de esa noche:

> El pavor mismo encendía la curiosidad del buen Guerrita que olvidado del mundo entero ante semejante tragedia, miró el espacio aquel rectangular, miró a los sargentos que eran colocados en fila por los ayudantes como a un metro de la tapia... Unos de rodillas, otros en pie... El que quería mirar para adelante, miraba, y el que tenía miedo, volvía la cara hacia la pared. Un cura les dijo algo y se retiró... Inmediatamente, las dos filas de tropas que habían de matar avanzaron... La primera fila se puso de rodillas, la segunda continuaba en pie. No se oía nada... Silencio de agonía... Nadie respiraba... ¡Fuego!, y sentir el horroroso estrépito, y ver caer los cuerpos entre el humo y el polvo, fue todo uno. Caían, bien lo recordaba Guerra en extrañas posturas y con un golpe sordo, como de fardos repletos arrojados desde una gran altura. Todo fue obra de segundos:

piernas al aire, pantalones azules, cuerpos tendi-
dos de largo a largo, otros en doblez, caras boca
abajo, otras con la última vidriosa mirada fija en
el alto cielo. Algún alarido estridente rasgó el
silencio lúgubre, posterior a la descarga, y el humo se deshizo en girones pálidos... Olor a pólvo-
ra. (NIII, 50-51).

El texto está tan cerca del modelo pictórico, que no pudo
ser escrito sin la presencia concreta de una reproducción o la
muy vívida imagen del cuadro en el recuerdo. La escena de
Galdós está enmarcada en "el espacio aquel rectangular" que
es el espacio de un cuadro; las figuras están colocadas en fila,
en Goya contra un montículo de tierra, en Galdós contra una
pared. En ambas escenas, unos personajes están de rodillas,
otros de pie; unos miran, otros se tapan los ojos o los fijan en
la pared del fondo. Las extrañas posturas de los caídos coinciden con la pintura goyesca, como así también el color de
los pantalones. La imagen que persigue Guerra como símbolo del fratricidio constante es desde entonces la máscara de la
tragedia griega, vista con reminiscencias del Saturno goyes-
co: "el cabello erizado, la contracción de espanto en su boca
cuadrangular" (NIII, 51 y 64). Las pesadillas de Guerra y sus
imaginaciones demoníacas se asocian con los caprichos y las
pinturas negras de Goya.

La visión angélica de Guerra, en Toledo, coincide en
cambio con imágenes de la pintura religiosa, en especial del
Greco. Angel anda por las iglesias toledanas "buscando Gre-
cos, que eran su delicia, examinando altares barrocos" e
imágenes de Cristos y de la Virgen (NIII, 126). Ve también
arquitectura y tallas del Greco cuando visita las casas de
recogimiento descubriendo "la fábrica hermosa del severo
estilo del Greco" contrastando a menudo con el plateresco de
Churriguera (NIII, 127).

Pero el Greco es algo más que un elemento de detalle; es la presencia fundamental en la novela, lo que determina su estructura y da origen a sus personajes. En este sentido atina Sainz de Robles en el prólogo que acompaña a la novela en las *Obras completas* cuando dice: "Si la novela española pasa del Himalaya de Cervantes al Pirineo de Galdós, el secreto de Toledo nada más que a Galdós se lo secretea el Greco." [20] La primera visión que tiene Guerra del paisaje de Toledo reproduce perspectivas y tintas de la *Vista de Toledo* del Greco, observada también desde la ribera del Tajo: Guerra,

> Asomábase al pretil que por aquella parte sirve de miradero sobre el río, y se olvidaba del tiempo, el mundo y de sí mismo, contemplando, como en las nieblas de un ensueño, las riberas pedregosas, los formidables cantiles que sirven de caja a la tumultuosa y turbia corriente... ¡Ah, pensaba Guerra mirando en la orilla fronteras fincas de un verde tétrico, con el suelo salteado de azuladas peñas y de almendros y olivos que a lo lejos parecían matas (NIII, 131).

El Tajo se arrastra, como en la vista del Greco, con una corriente rojiza; las peñas presentan en ambos un colorido azulado, las casas y las matas están confundidas en ese "verde tétrico" característico del Greco. y la atmósfera que rodea en ambos al cuadro es de irrealidad y ensueño, en una especie de espacio intemporalizado. Don Tomé, cuyo nombre de pila reproduce el del Santo vinculado con el Orgaz, se justifica con tal nombre por ser arqueólogo del Toledo viejo. Describe iglesias, puntualiza datos, informa a Guerra. Por él sabemos donde se encuentra y en que estado está la presunta casa del Greco, cuya autenticidad Galdós discute (NIII, 250-

---

20. En la "Nota preliminar" a *Ángel Guerra*. (NIII, pág.12)

251). Otros personajes tienen también cierta relación con el Greco, porque sus rostros reproducen rasgos de las pinturas. Don Mateo, de la familia de los Apóstoles, tiene cara de Santo y según el narrador se parece "al retrato del *Maestro Juan de Avila*, obra del Greco que es una de las mejores galas del Museo Provincial; la misma expresión de simplicidad piadosa, de modestia, de ternura inefable" (NIII, 285). Y cuando Guerra lleva de la mano al niño de Virones, el grupo recuerda al *San José* del Greco sin la capa amarilla que Galdós recuerda vivamente (NIII, 256).

Pero las obras fundamentales del Greco que importan en la composición de la novela son otras: *El expolio* y *El enterramiento del Conde de Orgaz*. Son las dos obras que el desmemoriado Galdós recuerda en sus memorias. Al hablar de la Catedral dice allí que en la sacristía se encuentra con "el famoso cuadro del Greco llamado *El Expolio* y que en valor artístico no es inferior al *Entierro del conde de Orgaz*" (NIII, 1455). Y antes de ese juicio dice del otro cuadro lo siguiente:

> En supersticiones y milagrerías poéticas no es Toledo inferior a ese Nápoles que tú tanto admiras. La leyenda del Cristo de la Luz, el milagro de la Virgen poniéndole la casulla a San Ildefonso, el prodigio del conde Orgaz, que inmortalizó el Greco en el famoso cuadro existente en la iglesia de Santo Tomé. Todos los extranjeros que vienen a Toledo no descansan hasta visitar este incomparable lienzo, donde está representado el difunto Conde, llevado en brazos por San Agustín y San Esteban (NIII, 1453).

Al hablar de *Las generaciones artísticas de Toledo* expresa dentro de un juicio general sobre la pintura del Greco, su más extenso comentario sobre el cuadro citado:

Doménico Theotocópuli, llamado el Greco, fue un artista de genio, en quien los terribles defectos de su enajenación mental obscurecieron las prendas de un Tiziano o un Rubens. Una inventiva inagotable, gran facilidad para componer, mano segura para el dibujo, y a veces empleo exacto y justo del color y los tonos, son las cualidades que se observan en sus primeras obras; pero después, padeciendo la más lamentable aberración, el Greco se dio a pintar con un falso color y una expresión imaginaria, que marcan sus obras con un sello indeleble. Todos han visto sus figuras escuálidas, terroríficas, sin sangre, flacas y amarillas, con las cabezas sepultadas en enormes gorgueras de encaje rizado; el percibió un extraño ideal y, sin duda extraviado por una obsesión, esclavo de una monomanía, llegó a ese período lamentable en que es tan original. Una obra maestra ha dejado Theotocópuli, obra en que su extravagancia, todavía muy pronunciada, aparece oculta por bellezas de primer orden. Es el cuadro que se halla en la iglesia de Santo Tomé, y representa el entierro de Don Gonzalo Ruiz de Toledo, conde de Orgaz (NIII, 1377).

Los errores de interpretación de Galdós no pueden sorprendernos pues son comunes hasta 1905, cuando Cossío revaloriza la pintura del Greco. Pero no es común ese encomio de las obras particulares ni esa sensibilidad evidente en la apreciación de valores plásticos de línea y color. Al final del juicio anterior aparece una curiosa observación. Toledo no dio, dice Galdós, arte español original hasta que los andaluces infundieron a la pintura religiosa un genio inmortal. Se refiere sin duda entre otros a Murillo, que es otro de los pintores que componen la iconografía utilizada en Ángel Guerra.

El Expolio se cita en la novela en dos oportunidades. Los Babeles visitan la Catedral y admiran, en el techo de la Sacristía, el cuadro, obra que Angel Guerra quería comprar al Cabildo (NIII, 207 y 246). *El Expolio* tiene que ver con los Babeles y serán dos de ellos los que cometerán en la persona casi santa de Ángel Guerra un ultraje similar al de Cristo. Ello ocurre cuando Angel Guerra, siguiendo la enseñanza del ascetismo, decide no defenderse contra los enemigos. (NIII, 318). En el diálogo final con Arístides repite el ideal de conducta cristiana "no matar, no castigar, no defenderse; no alegar ningún derecho" (NIII, 339). *El Expolio*, según la más detallada versión de San Mateo, reproduce la acción de los soldados que quitan a Jesús sus vestidos, envuelven su cuerpo con una clámide de grana, le colocan la corona de espinas, le escupen y con una caña le dan golpes en la cabeza. El Greco, en la obra de la Sacristía de Toledo, pinta a Jesús envuelto en la clámide roja, mientras uno de los esbirros le sujeta la mano con una cuerda y otro agujerea el madero de la cruz en el que Jesús será atado con esa cuerda, según una de las versiones de la Crucifixión. Son tres los personajes que se destacan: el soldado con uniforme, y dos hombres de pueblo uno con camisa verde y otro amarilla, colores que se balancean con el rojo subido de la clámide. En un grupo aparte, se ven tres figuras femeninas que parecen ausentes del suceso, una sin duda la Virgen y otra Magdalena. En la versión de Galdós, la flagelación y la muerte de Ángel Guerra reproduce en cierto sentido los padecimientos de Cristo, cuya vida trata de imitar. La muerte de Cristo ha sido resultado de violencias: el asesinato pende alrededor de Ángel Guerra como un constante riesgo: primero, aparece herido de bala y sueña con insectos destructores, luego, ya en Toledo, cree haber asesinado con sus propias manos a uno de los Babeles, se piensa también que Leré ha sido asesinada por el marido borracho de su protegida, y por último, Jusepa muere asesinada por los tres delincuentes que hieren, de muerte a

Guerra mismo. No son frecuentes las muertes violentas en Galdós y la abundancia de ellas en novela de tanta espiritualidad no se explica sino como portadoras de un mensaje. Arístides, considerado como un diablo, como Satán mismo por el inocente Pito, ultraja de palabra a Ángel Guerra, que recuerda entonces una de sus visiones anteriores en que el diablo, en forma de macho cabrío, le oprimió el pecho. Con ayuda de Policarpo y de Fausto, Arístides roba a Guerra sus pertenencias. Guerra se defiende golpeando la cara compungida y macilenta de Arístides que falsamente pide su perdón. Los tres pícaros sujetan a Guerra: uno lo toma del cuello y otro intenta atarlo con una faja; Policarpo le clava su navaja aunque en el costado derecho y no el izquierdo. La extraña escena está llena de reminiscencias del *Expolio*, en el que la "cara mística y con destellos infernales" de Arístides parece salida del cuadro del Greco, donde los sayanes y los místicos poseen rasgos similares.

Pero es más fundamental en la novela la presencia de *El enterramiento del Conde de Orgaz*. Así como en el cuadro del Greco advertimos dos niveles, el de la vida terrena, que está integrado por hombres de armas y el séquito del entierro, y el de la vida celestial en que se ve a Dios, la Virgen, los Santos y los ángeles, la novela toledana de Galdós presenta por un lado la vida de pícaros, campesinos y luchadores políticos y por otro la de seres destinados a la vida angélica como Leré. Otra vez se hace efectiva la dualidad del nombre Ángel Guerra. Ángel Guerra inicia su *Camino de Perfección* tratando de imitar al Conde de Orgaz, fundador como él de asilos y conventos, paradigma del caballero cristiano, que como él sintetiza los valores guerreros y angélicos del espíritu español. Cuando Guerra propone a Leré la fundación del asilo lo hace recordando el modelo de Orgaz:

> Pero ven acá: lo que han hecho otros señores cuya memoria se perpetúa en las iglesias toledanas, el

conde de Orgaz, por ejemplo, don Gonzalo Ruiz de Toledo, ¿por qué no he de hacerlo yo? Yo te fundaré una casa de oración y recogimiento. Presidirás tu comunidad, usando báculo en los actos del coro (NIII, 153).

Ángel Guerra se envuelve en la fundación de la casa religiosa a la que piensa transportar las monjas del convento, fundación similar a la hecha en el mismo sentido por el de Orgaz. Ángel Guerra es además, en pleno siglo XIX, un caballero cristiano, como se lo llama a cada instante desde el capítulo "Caballería cristiana" en que el personaje expresa su idea sobre la fundación del convento:

En lo esencial quiero parecerme a los primitivos fundadores y seguir fielmente la doctrina pura de Cristo (NIII, 281).

El Conde de Orgaz y Ángel Guerra son así expresiones en tiempos distintos del mismo espíritu idealista que satirizó Cervantes. No es extraño que en la muerte de Guerra, según la describe una ciega, se haya aparecido "nuestro divino señor" y que el cadáver de Guerra, como el de Orgaz, haya sido transportado a la bienaventuranza:

Poco antes de llegar el señor (el Viático) vi que el amo se transportaba... Se encontraron un poquito más allá de la puerta, y junto se subieron... Recemos, por él no, por nosotros (NIII, 341).

Son éstas, además, las palabras finales de la novela. También a la muerte de don Tomé se observa que el cadáver "parecía iluminarse por resplandores sobrenaturales" (NIII, 260).

Pero según lo hemos visto en el juicio de Galdós sobre el arte del Greco, la genialidad de Murillo (y quizá la de Zurbarán y otros sevillanos) lleva a la categoría de arte universal la pintura religiosa española. *El buen Pastor* de Murillo, conservado en el Prado, sirve de indudable modelo para la caracterización física del niño de Virones, que es en la novela un Cristo niño. Dice Galdós:

> El chiquillo de Virones (sobrino se quiere decir, y lo era realmente), la más preciosa adquisición de la flamante hermandad, tenía todo el desarrollo propio de los seis años, cosa rara en estos tiempos de raquitismo; su perfecta hechura de cuerpo, su rostro de peregrina belleza, recordaba los inspirados retratos que hizo Murillo del Niño Dios, *de ese niño tan hechicero como grave, en cuyos ojos brilla la suprema inteligencia, sin menoscabo de la gracia infantil* (NIII, 286).

Pocas líneas antes lo define como "lindo como un ángel, con cierta gravedad melancólica, en su rostro murillesco" (NIII, 285).

El niño, nacido en un pesebre, se llama además Jesús. Confrontadas las líneas subrayadas con el modelo murillesco no queda duda de su cercanía al texto, ni tampoco de la certeza crítica con que Galdós valora la obra del sevillano, siguiendo la tradición iniciada por el Romanticismo.[21] Cuando Guerra lleva al buen niño, "manso como un cordero" de la mano, parece San José llevando a su hijo; cuando Mateo lo carga sobre sus hombros, se convierte en San Cristóbal *Cristo ferens* (NIII, 291). El niño se compara con un cordero, no lleva uno a su lado como el Cristo de *El buen pastor*, pero si va siempre con un cabritillo "precioso,

---

21. Sobre Murillo en el Romanticismo ver el importante libro de Ilse Hempel Lipschutz, *Spanish Painting an the French Romantics*. Cambridge, Harvard University Press, 1972, especialmente págs. 145-147.

blanco y saltón": "El niño y la bestezuela graciosa hacían un grupo encantador" (NIII, 287). El cabritillo se convierte luego en un cervatillo, y entonces vemos "a Jesús con el cervatillo" (NIII, 293). Puede tratarse de un error de imprenta o de un descuido del escritor, pero esa transformación sucede en el momento en que un torbellino hace que el cabritillo, como atacado de locura, rompa la cuerda y se pierda en las cuevas del barranco. Guerra va a buscarlo en una misteriosa escena alegórica y se topa con seres infernales y visiones satánicas.

Leré es también una imagen murillesca, aún cuando la componen elementos de toda la imaginería religiosa:

> Y para llegar a la última embriaguez de idealización, representábase el traje de la novicia del Socorro, en la realidad bastante prosaico, como el más elegante que imaginarse podría no con esta gentileza sensual de la mujer del siglo, sino con otra muy distinta, cuyo secreto hay que buscar en la iconografía cristiana, y en sus mejores intérpretes, los pintores religiosos (NIII, 221).

Leré es también, a los ojos del enamorado caballero, una réplica casi de la Virgen del Sagrario, cuyos adornos y vestimentas pasan mágicamente de la imagen al personaje:

> Echándose a volar por los espacios del ensueño, concluía por imaginarse el velo de su novicia recamado de perlas, el busto cruzado por un pectoral que deslumbraba, y la toca guarnecida de esmeraldas y perlas, formando como un rostrillo u ovalado marco que en su magnificencia no era todavía digno de encerrar el inspirado semblante y los ojos sibilinos de la hermanita del Socorro (NIII, 226).

127

Galdós percibe la sensualidad de esas figuraciones plásticas. Leré es además la figura maternal cuyos pechos desbordantes de vida, como las madonas que amamantan al niño, aparece en sueños, en las visiones alegóricas de Guerra, y en el milagroso episodio del trasplante de los senos a la escuálida madre enferma. Pero cuando Leré entra de lleno en la vida conventual, es la *Inmaculada Concepción* de Murillo el cuadro que Galdós describe al hablar de sus arrobamientos. Ella misma evoca a una de las Concepciones cuando como novicia "lleva falda estameña negra con muchos pliegues, la manga perdida y el estrecho manguito cubriendo el brazo hasta la muñeca; la cerrada toca que se prolonga hasta la mitad del pecho, formando como una muceta... la negra esclavina sobre los hombros y en la cabeza el velo blanco" (NIII, 177). En ese marco se destaca el incesante baileteo de los ojos, cuyo significado aclararemos después. Leré describe sus visiones de la Virgen como imágenes de Murillo, en las que los bordes del manto azul barren las estrellas y los pies pisan la media luna, como en una de las Concepciones.

Otras imágenes adquieren también significado, como ocurre con las de las Vírgenes negras tan propias de la tradición bizantina, a las que una de las profesas se parece: "Expectación, cuarentona de rostro blanquísimo y facciones bozales, resultando un contraste muy extraño en la fealdad etiópica y la blancura alabastrina" (NIII, 177). Un poco más adelante se reitera la idea: "la hermana blanca, que parecía la estatua de una negra bozal; esculpida en alabastro, con las pestañas blancas y los ojos de pizarra" (NIII, 180). Por último pienso que el Murillo de las escenas picarescas aparece cuando los niños recogen el *higui* con la boca abierta (NIII, 234) y quizá en la descripción de los Belenes.

El baileteo de los ojos de Leré tiene a mi juicio relación también con la imaginería religiosa. Ese baileteo es, para Ángel, "el aleteo del Espíritu Santo que ha hecho dentro de ellos su palomar" (NIII, 186). Galdós da a ese baileteo un nombre científico, *Nystagmus rotatorio*, que suele definirse como una oscilación rítmica de los ojos y suele llamarse también *oscilación ocular motora*. En los casos de histeria descritos por Melcior en el libro que Galdós tiene en su biblioteca, aparecen similares desequilibrios, como típicos de los místicos.[22] Pero además de eso, los ojos bailarines de Leré constituyen una versión burlesca de los ojos de arrobamiento de tantas imágenes, del Greco inclusive y Murillo, en que los Santos y Santas tienden los ojos hacia el más allá levantando el rostro, con el blanco de la córnea extendido y las brillantes pupilas fijas en la altura.

En la composición de Leré entra también, claro está, Santa Teresa, de la que esta Santa Lorenza es hermana. En la historia de la patética infancia de Leré hay también resonancias de la *Vida* de la Santa:

> Desde muy chiquita –dijo la maestra– gustaba yo de pensar en Dios y en las cosas del cielo, poniéndome a discurrir cómo sería la Gloria eterna, cómo el Infierno y el Purgatorio, y cómo sería la cara de Nuestro Señor Jesucristo y de la Santísima Virgen cuando estaban en el mundo. Oía leer a mi tía Justina la vida de Santos y deseaba yo ser también santa y tener ocasión de que me martirizaran. Doce años escasos tenía yo cuando com-

---

22. Melcior y Farré traduce la historia clínica de Luisa Lateau, que padecía de alucinaciones místicas y describe entonces detalladamente la mímica de los alucinados: "La hendidura palpebral sumamente abierta; lo globos oculares dirigidos según la ley de asociación, es decir, que el ojo derecho miraba hacia arriba, mientras que el izquierdo, inclinando su meridiano vertical hacia dentro, miraba adentro y arriba. La pupila muy dilatada y completamente inmóvil. Un contacto en las pestañas o conjuntiva, determinada ligeras vibraciones de los párpados" (*op. cit.*, pág. 15).

prendí que no es preciso que vengan moros, judíos ni romanos a abrirnos en canal; o rebanarnos la cabeza para que haya mártires en estos tiempos (NIII,70).

En esas mismas fechas comienzan los ataques de epilepsia del personaje (NIII, 90) que también en eso, según la interpretación de los científicos, coincide con Santa Teresa. Poco después se inician sus alucinaciones místicas, sus conversaciones con "persona invisible" que Ángel escucha desde la pieza de Sción, y las repetidas apariciones de la Virgen más o menos similares a las descriptas por la Santa. A Leré y a Santa Teresa la Virgen se les aparece como imagen de talla y no como persona. Guerra descubre en San Clemente la imagen de esa aparición. Es una Virgen de tamaño casi natural, "con estupenda corona de las llamadas imperiales, pectoral y broches guarnecidos de pedrería, vestido riquísimo de tisú de oro y seda carmesí recamada de aljófar" (NIII, 127). La Virgen tiene los ojos brillantes y sostiene en sus brazos a un niño de Dios con escarpines de oro terminados en punta, somo si fueran borceguíes africanos.

A medida que crece el entusiasmo religioso de Ángel, la asociación de Leré con Santa Teresa aparece aún más clara. Se la denomina entonces "esposa mística", "mística doctora" (NIII, 184-346), y Ángel es, como San Juan de la Cruz en relación con la Santa avileña, el "místico amigo". Cuando en la tercera parte, Ángel, transformado ahora, se denomina "el converso", Leré se llama "la doctora inefable", "mi doctora" (NIII, 257). Y al ser Guerra epítome de "caballero cristiano (NIII, 306) su amiga se denomina "Santa". Leré es docta mística, como Santa Teresa, porque es sin querer creadora de una doctrina: la doctrina lerana que como la teresiana está basada en la devoción, la obediencia y la claridad. Guerra resume algunos de sus principios: creencia en un ser divino;

130

la suprema dirección del Universo reside en la voluntad de un Dios; Dios elige a ciertas criaturas para que indiquen el camino del bien; la actitud religiosa implica la creación de instituciones contemplativas, filantrópicas y humanitarias; debe uno desligarse del mundo, del organismo social, de la burguesía; proscripción absoluta de la política; aceptación de las primordiales ideas religiosas; moralidad cristiana irremplazable; poca atención a las formalidades de la iglesia, que requiere modificaciones. En el plano ético o filosófico, la doctrina implica el compromiso de seguir un *Camino de Perfección* (NIII, 187-188), de humillarse e imitar a Cristo. El mal y el bien son igualmente positivos; el mal se determina en uno mismo y el bien en los demás. Los acólitos deben sufrir el mal y hacer el bien. El carácter no se modifica, pero puede dominarse la ferocidad natural del hombre, la que produce las guerras, deseando el bien a los enemigos, tratándolos como a personas queridas y perdonándoles las injurias. "Ésa es la doctrina, ésa y no hay otra" (NIII, 196).

Reducida a sus elementos básicos, la doctrina de Leré comprende tres aspectos esenciales: a) observancia de la ley divina; b) perfeccionamiento espiritual; c) imitación de la vida de Cristo. A pesar de la ironía de toda esta creación de Ángel Guerra, movido en verdad por la atracción sexual de Leré, lo que en ella hay de teresiano, aparte de toda exageración doctrinaria, es su fe profunda, su caridad, y la función dadora de su ser simbolizada por los pechos que entrega a su amiga enferma en el sueño de Jusepa; aunque exprimenta visiones, no tienen para ella más valor que la de ser expresivas de la voluntad de Dios en lo referente a su misión religiosa. Guerra adjudica a esa misión el carácter de fundación de conventos (Santa Teresa está más en el conocimiento de Guerra que en el de Leré). Las hermanas del Socorro, a las que Leré pertenece, han de ser trasladadas al nuevo convento fundado del que Leré será la superiora. El Conde de Orgaz había trasladado a los monjes agustinos de Toledo de un lugar malsano a una de sus propiedades, base de su fundación.

El proceso de la fundación de Guerra no difiere del que detalla Santa Teresa en su *Vida* y en el *Libro de las fundaciones* mismas. Una vez determinado el lugar y lograda la donación del predio, en este caso el predio pertenece a Guerra, el resto es trazar planos, acumular materiales y comenzar las obras. Guerra establece en su posesión de Guadalupe su taller de ingeniería. Al entrar allí Casado, que va camino a la Sagra, advierte el comienzo de las obras, pues entran albañiles y un carro repleto de ladrillos. Ve los planos de la construcción, que tiene fachada mudéjar, como tantos edificios toledanos: mampostería concertada y verduguillos y machones de ladrillos, puertas principales de piedra. El edificio se parece a San Clemente por sus paredes de cal y canto enmarcadas con arcos y cenefas de ladrillos rojos. Consta de dos cuerpos, unidos por arcos con la iglesia y las oficinas centrales; cada cuerpo está separado, uno albergará a los hombres y otro a las mujeres, separación que lamenta don Pito por oponerse a la Ley divina "Creced y multiplicáos". La fundación significa también la provisión de fondos: Guerra dispone las rentas, los ingresos y el destino de las donaciones y limosnas. Para evitar el mal causado por los legados testamentarios en la estructura económica española, se prohibe obtener fondos a través de legados. Santa Teresa se lamenta al tener que recurrir a algo más que a las limosnas para sostener sus conventos, ya que las donaciones de todo tipo acarrean complicaciones legales. Hay tres puertas de acceso a los edificios, puertas que tienen nombres que recuerdan las de las organizaciones masónicas: Puerta de la Caridad, del Amor y de la Esperanza. Se ha eludido el de la Fe, primera virtud cardinal. Aunque no avanzan demasiado esas obras, y mueren en los planos, creo evidente que Galdós tiene en cuenta para idearlas las explicaciones que Santa Teresa proporciona sobre el lugar, los planos, el mantenimiento económico y la puesta en obras de sus propias fundaciones.

Como la fundación de Ángel es también la creación de una orden, en la novela se establecen las constituciones y las reglas basadas en las de la Santa avilense sobre los dos pincipios básicos de obediencia y caridad. Galdós se extiende en consideraciones sobre las órdenes españolas, sobre todo las nuevas, como esa de las hermanas del Socorro, de procedencia francesa y caracterizadas por el trabajo práctico como el bordado o la confección de objetos, la entrega a obras caritativas y la total ausencia de clausura, lo que lleva a don Suero a preferirlas por estar más de acuerdo con la ilustración moderna (NIII, 179). Ángel se propone fundar una orden tan moderna como esas, o como dice don Francisco, "fundar una Orden para hombres y mujeres de ambos sexos" (NIII, 210). La dirección de esa Orden y Hermandad estará en manos de Leré, que llevará como símbolo de autoridad un báculo (NIII, 232). Don Pito discute dos prohibiciones: la del alcohol y la de las relaciones amorosas entre hombre y mujeres. Ocurre entonces la extensa información sobre las prácticas poligámicas entre los mormones, en que se repiten ideas comunes del periodismo de la época. La Orden estará dividida entre hermanos enfermeros y hermanos penitenciarios. Esos hermanos no se ajustarán a regla monástica alguna, aún cuando vestirán con sayal blanco como el de las Hermanas del Socorro, se dedicarán al "consuelo y alivio de la humanidad" y se prohibirá entre ellos la higiene por anticristiana, ya que previene el contagio. Los lerenianos no temerán a la enfermedad ni a la muerte. No se impedirá entre ellos la presencia de nadie, ni aún de la justicia que venga a prender a los criminales entre ellos confundidos. Se harán votos de pobreza y de castidad por cinco años primero, y luego a perpetuidad. Gobernará el convento un Capítulo o Junta General de la comunidad, con voz y voto para todos los miembros, tanto hombres como mujeres. Especie de falansterio democrático y utópico, será la comunidad creada centro de prácticas de una primitiva cristiandad, ya que, dice el autor:

> Convengamos en que los españoles, los primeros cristianos del mundo, nos hemos descuidado un poco desde el siglo XVII y toda la caterva extranjera y galicana nos ha echado el pie adelante en la creación de esas congregaciones útiles, adaptadas al vivir moderno. Pero España debe recobrar sus grandes iniciativas (NIII, 282).

Ideas parecidas se repiten al hablar de las órdenes nuevas, de las órdenes francesas y de las santas modernas. En España, dice uno de los interlocutores de Guerra, que parece moribunda en todos los aspectos, debe renacer lo religioso "en que ha picado tan alto". Las devociones modernas como la del Sagrado Corazón, la de la Virgen de Lourdes, y las nuevas experiencias místicas como las de María Alcoque y Bernadette, son creaciones "de extranjiis" (NIII, 282). El cura Casado atina con el nombre de la orden creada por Guerra, *Domus Domini*; las casas de la congregación se llamarán *Civitates Domini* y la doctrina lereniana dominismo. En el delirio religioso de Guerra, el *dominismo* será la base de una sociedad nueva, ya que "la propiedad y la familia, los poderes públicos, la administración, la Iglesia, la fuerza pública, todo, todo necesita ser deshecho y construido de nuevo" (NIII, 323). Casado se alarma ante los extremos de esa concepción que no logra calificar, pero que la acercan al anarquismo. Guerra ha vuelto sin querer al comienzo de su periplo, advocando una utopía social y hasta la creación de una fuerza armada para sostenerla. Falta poco para concluir que es la religión misma, lo angélico de Ángel, el origen de las guerras civiles. Guerra parece ahora inspirado por Joaquín Costa: decide vaciar en los moldes de la vida contemporánea "el carácter profundamente evangélico de las órdenes antiguas" (NIII, 324). El dominismo, piensa Guerra, romperá con Roma, establecerá un Papado español, remplazará a los jefes políticos con los provinciales de la congregación, repartirá libremente los ingresos y gastos de cada pueblo, organizará la beneficencia, la enseñanza, lo penitenciario, las bellas artes, la agricultura y terminará, por inutil, con el ejército. Guerra concluye su vida con ese delirio, entregado a la misma contradicción con la que inició su vida novelesca. Goya y el Greco; lo guerrero y lo angélico se dan la mano como en El *Enterramiento del Conde de Orgaz.*

En la conversión religiosa de Guerra importa además el carácter de la oración, que Galdós analiza teniendo en cuenta los tratados religiosos sobre modos de orar y sobre todo las observaciones de Santa Teresa. En un principio, Ángel siente que la oración no fluye con facilidad, que la distraen y embarazan "mil ideas profanas" (NIII, 204). Concentrados sus sentidos en las imágenes, logra sujetar el pensamiento (y de paso percibe el sentido que tiene el valor sensorial del arte religioso):

> Así, cuando oraba, encadenándose fuertemente con el símbolo por medio de los ojos, se defendía bien de las abstracciones, pero no quedaba satisfecho de sí mismo, y aspiraba a educarse en el rezo metafísico y en las meditaciones abstractas y finas (NIII, 204).

Siente sin embargo una innata tendencia al humanitarismo social y el rechazo de toda delectación mística, belleza ideal o lírica. Las distracciones de la oración, en Guerra como en Santa Teresa, suelen ser producidas por el demonio tentador. Leré le previene contra tan pernicioso enemigo:

> Dios le tiene ya por suyo. Satanás rechina los dientes. Déjele usted que rabie y eche veneno.

> Mucho cuidado con las trampas que ha de armar
> ahora, las cuales serán tan sutiles que es menester
> andar con cien ojos para no caer en ellas. De fijo
> le arma a usted una tan sumamente hábil, tan
> sumamente ingeniosa que por bien que se prepare
> contra ella, no podrá evitar que le cojan poquito.
> Mire que es muy pillo ése, muy mañero y sabe
> mucho (NIII, 295).

Esa trampa es la religiosidad de Guerra que lo llevará a su propia destrucción.

El demonio anda pues por el Toledo de Ángel Guerra, y desde tiempo inmemorial. Como hemos visto, el asesinato pende sobre el personaje como un peligro constante: "Un homicidio, nada menos que un homicidio en mi primer paso por ese camino que me ha trazado la bendita Leré" (NIII, 191), y el mismo Guerra será luego víctima del homicidio. El diablo está en la historia de la ciudad, ya que aún se conserva memoria de Enrique de Villena, cuyos consorcios con el demonio Galdós recuerda. Está además, en la topografía de la ciudad, cuyos barrios tenebrosos son recintos de crímenes. En la cuesta de la Portería descubre Guerra un "sitio solitario, fosco, siniestro, apropiado a los tapadijos galantes y a los acechos de la traición", lugar propicio a la exaltación romántica que le recuerda leyendas de Zorrilla (NIII, 156). En el barrio de la Judería anda rondando, "entre murciélagos, el alma empecatada del marqués de Villena" (NIII, 131). El diablo se le presenta a Guerra en tres distintos momentos. En Madrid, el abejón que se mete en el cuarto en que descansa de las luchas políticas y se cura de sus heridas, se transforma en una fiera, en un trasto indecente, al que Guerra apostrofa amarrado en la cama, como lo estará en el último episodio de su vida. En el delirio, se confunde el animalejo con el cadáver del hombre asesinado por Ángel y otros guerrilleros en las recientes trifulcas. El insecto es una bestia monstruosa que simboliza la Guerra civil, y que parece por su grotesca mezcla de elementos humanos y animales uno de los *Disparates* de Goya. Se le llama "moscardón del infierno", es en verdad una figuración de Belcebú, rey de las moscas.

En Toledo, Satán amenaza por todas partes, a juzgar por la continua mención de su nombre en boca de don Pito. Juan Casado tiene "facciones de sátiro gentil o de diablillo de capital plateresco", como figura diabólica de aldabón tallado en hierro (NIII, 169). No se sabe con certeza si la subida mística de Guerra no es en verdad bajada al infierno, con la misma duda de San Alejo que no sabía si la escalera bajaba o subía (NIII, 326). Pero es en las visiones exaltadas de la realidad, en los sueños y en las alucinaciones donde Ángel descubre la verdadera presencia del demonio. Como el don Juan que ve su propio entierro, don Ángel asiste a su propio sacerdocio, cuando en la Catedral, se descubre a sí mismo en figura de cura, sin barba y con traje clerical. El fantasma tiene su propia voz, su propio aire al andar, y hasta canta el mismo gradual entonado por Guerra en las reuniones del Seminario. En medio de la oscuridad del Callejón del Toro, la misteriosa imagen se le presenta en una atmósfera de irrealidad:

> Guerra vió claramente su propia personalidad vestida de sacerdote, y cuando se encontraron, detuviéronse ambos, por la imposibilidad de salir de allí sin que uno de los... retrocediera. Vió su cara como si se hallara delante de un espejo que tuviese la virtud de limpiar de barbas el rostro. Los ojos, la mirada, la expresión, el aliento eran los mismos. El fantástico presbítero le puso ambas manos en los hombros, y él puso las suyas con confianza enteramente autopersonal en el otro. A un tiempo y con una sola voz, dijo el clérigo al seglar y el seglar al clérigo "Domine, quo vadis? (NIII, 252).

Ángel piensa que esa extraña experiencia es en verdad un sueño:

> Luego yo existo en otra forma; soy un ser doble, soy una proyección de mí mismo en el tiempo futuro (NIII, 253).

Después nos enteramos de que ese doble es don Eleuterio, sacerdote desaseado y sin vocación, cuyo retrato (NIII, 271) parece la antítesis del Guerra actual pero que anticipa el del Guerra futuro en el caso en que su falsa vocación sacerdotal se cumpliera. Ángel se ve a sí mismo como en un sueño, como ser pestilente, lleno de concuspicencias y más indigno que Satanás (NIII, 260). Según lo interpreta se trata de una treta que el Demonio le ha tejido para engañarlo:

> Quiso valerse de mí el espíritu malo para satisfacer su eternal envidia, para escalar las regiones celestiales y profanarlas, convirtiendo los ángeles en bestias. De veras digo que si yo no creyera en el diablo, en aquella noche tremenda le habría tenido por la cosa más real del mundo. Yo le sentía, le tenía metido dentro, y su boca era mi boca, sus nervios mis nervios, su sangre mi sangre... (NIII, 267).

Esto se dice en el momento en que sorprende a Leré dormida y casi se atreve a violarla. Cuando don Tomé lo llama, la presencia de ese hombre bendito le calma la inquietud:

> Vi salir a Satanás, rechinando los dientes. Digo que le vi porque aquella idea era mi salvación; como las anteriores ideas de mi peligro y lucha, tomaba tal fuerza en mi mente que casi casi le daban forma sensible mis sentidos.

Las apariciones y trampas del Demonio tienen aquel propósito de llevar a Guerra a la satisfacción de su apetito carnal por Leré. En otra de las visiones que de inmediato se describen, Leré aparece rodeada de una luz cegadora y echándose la mano al seno se arranca de él un pedazo de carne, "de carne sí, grande y blanquísima, chorreando sangre" que arroja a la cara de Guerra con las palabras siguientes: "Toma..., para la pobre bestia" (NIII, 268). A partir de ese momento Guerra decide entregarse a la vida religiosa.

Durante la Semana Santa, después de oír en la Catedral la Pasión según San Lucas en la que se representa vivamente la escena de la Crucifixión y del Calvario, Guerra tiene otro nuevo encuentro con Satán en el que la alegoría de la carne y la bestia se extiende y clarifica. Es cuando Guerra baja a la cueva en busca del cabritillo de Jesús, perdido en un escabroso terreno a raíz de una súbita tormenta. Todo el ambiente se torna sobrenatural y feérico. Guerra entra en una gruta similar a las del Infierno dantesco:

> y la repentina iluminación eléctrica pintaba en aquellas profundidades antros terroríficos, abismos que causaban vértigo y contornos recortados, como fantásticos bocetos de animales monstruosos.

Sufre Ángel un extraño prurito de movilidad y de enorme vigor físico la sangre hierve en sus venas y siente un enorme calor. Mientras tanto, en un desfiladero o cráter de caprichosas formas, sin truenos ya ni relámpagos, pero iluminado todo por la luz como si fuera proveniente de una lámpara de alcohol, "azulada, incierta, volátil" se siente "inmerso en un aire quieto y mudo que parecía muerto". Avanzando hacia la gruta iluminada, ve Ángel a Leré descendiendo de una escalera, vestida como hermana del Socorro y levantando, cual figura renacentista, el faldón del vestido para mover el pie.

Las reminiscencias dantescas son evidentes, y Leré participa de la misión salvadora de Beatriz en la experiencia de Dante. Trae una luz en la mano que da un resplandor rojizo a su rostro. Con un dedo sobre el labio impone a Guerra, como Beatriz al Dante, silencio y obliga a su amigo y al cabritillo rescatado a seguir sus pasos. Guerra se abalanza sobre Leré y la abraza con violencia; Leré se esfuma como humo entre los brazos del caballero. El cabritillo cae con fuerza sobre Guerra, lo arroja al suelo, y le hinca las pezuñas en el pecho:

> Horrible transformación del animal, que de inocentes y gracioso chivato, convirtióse en el más feo y sañudo cabrón que es dado imaginar, con cuernos disformes y retorcidos y unas barbas asquerosas. Ángel no podía respirar. El feroz macho le oprimía el torax y le echaba un resuello inmundo y pestilente.

Ángel se deshace del diabólico cabrón exclamando:

> Huye, perro infame... No tentarás al hijo de tu Dios.

Leré vuelve a arrancarse carne del pecho, transformada en una nueva Santa Leocadia, para calmar al demonio:

> Ví a Leré ante sí, con el pecho descubierto, y este era un manantial del cual fluía un arroyo de sangre. Sin mirar a su amigo, arrancóse un pedazo de carne blanca y gruesa y lo arrojó al animal que hocicaba junto al desdichado Guerra (NIII, 294).

Una cuadrilla de nauseabundos demonios acomete finalmente al caballero:

> Animales repugnantes y tremebundos, culebras con cabezas de cerdo voraces, dragones con alas polvorientas y ojos de esmeralda, perros con bar-

bas y escamas de cocodrilo; lo más inmundo, lo más hórrido que caber pueda en la delirante fantasía de un condenado (NIII, 295).

La alegoría ha adquirido ahora los caracteres de una pesadilla del Bosco; esos bichos increíbles desgarran las carnes de Guerra, le sacan los ojos, le extraen los intestinos y se los embuten en el cerebro, le arrancan el corazón. Pasada la horrorosa experiencia, Guerra es víctima de un paroxismo y aparece transportado, sin saber como, junto a una fuente donde Samaritanas vestidas de blanco, como las Hermanas del Socorro, llenan sus cántaros mientras entonan el *Vexilla Regis*.

A partir de entonces, las menciones al Demonio se tornan abundantes. Don Pito se considera embaucado por el diablo, que ya no utiliza como treta la antigua de comprar el alma con la firma en un pergamino (NIII, 296, 330). En el mismo momento en que Don Pito habla, Jesusa descubre al demonio verdadero en la bellísima figura de Arístides. Jesusa atraviesa un monte espesísimo y siente un ruido en el follaje que cree producido por alguna "cabra perdida o perro vagabundo". Ve salir en cambio el cuerpo de un hombre:

> Lo que principalmente la sorprendió fue la hermosura del hombre, que era mozo, afeitadito como los toreros, esbelto y flexible, de hablar dulce y amoroso, cual Jusepa no lo había oído nunca (NIII, 297).

Cuando poco después Guerra se encuentra con Arístides en el mismo lugar, cambiada ahora la apariencia del joven que ha dejado crecer sus barbas y está pálido de inanición, cree ver una "figura gótica de las más expresivas y espirituales, que acababa de descender del tímpano de una puerta de siglo XIII" (NIII, 312).

La conversación de Guerra con Arístides suscita en ambos la vieja violencia homicida. Arístides dice en verdad el secreto que Guerra inútilmente oculta: su misticismo no es más que un deseo sexual reprimido:

> Yo sé que te tendría por dichoso si pudieras anticiparte a la supresión del celibato, celebrando un lindo matrimonio con tu monja tierna. Basta de comedias conmigo; lo que te detiene es la dificultad material para hacer efectivo tu deseo.

Con menos clarividencia, se refiere también al misticismo de Leré que sueña, dice, con Guerra noche y día y cuyas efervescencias imaginativas son expresiones del amor humano, de la ley ineludible de la Naturaleza. Guerra queda abrumado de dolor al oír revelaciones que no quiere reconocer como auténticas:

> Hallábase en situación moral semejante a la de aquella noche en que sintió sobre su pecho las patas del infernal macho. Terror de muerte llenaba su alma, y de la boca se le salían las mismas expresiones angustiosas de la noche de marras. "Huye, maldito, y no tientes al hijo de tu Dios" (NIII, 333).

A los ultrajes verbales de Arístides suceden los físicos de Fausto y Policarpo. Guerra abandona la sumisión mansa del cristiano y reacciona violentamente en su propia defensa, Arístides descubre en su "cara mística" "destellos infernales" (NIII, 336). El Demonio ganará la partida, con la muerte de Jesusa y la herida mortal que los asaltantes infieren al caballero.

Pero el verdadero demonio de Toledo no es un personaje sino una actitud ante la vida: la anulación de la Naturaleza humana en beneficio de una espiritualidad abstracta. Las voces de Tirso y de Casado, y aún la de Dulcenombre, forman como un coro de lamentaciones ante esa desviación a la que Leré y Guerra tienden por motivos distintos. El monstruo hermano de Leré, que sólo come y gruñe, es el otro extremo: la pobre bestia humana en su expresión más primaria.

5. ASCÉTICA Y DEMONOLOGÍA

5. Ascética y demonología

I. El misticismo puede ser índice de males en un nivel psicológico individual; es un tipo de enfermedad que impide el goce total de la vida, una locura que despierta en el autor la consideración humorística o irónica. Pero el grave y serio mal del espíritu español es para Galdós la filosofía ascética porque afecta la psicología colectiva, el ser nacional. El ascetismo es el verdadero demonio espiritual que perturba la comprensión de la naturaleza humana y el desarrollo normal del progreso. Es el lado ascético de curas, sacristanes y beatas el elemento perverso de la humanidad creada por Galdós, desde Coletilla en *La Fontana de oro* hasta Doña Juana en *Casandra*. De las órdenes religiosas que predican el ascetismo, la más fustigada a través de la creación de personajes es la Compañía de Jesús. Casi todos los personajes de mayor intransigencia han sido educados por los jesuitas, como Coletilla, o son jesuitas ellos mismos como Luis Gonzaga en *La familia de León Roch*.

El libro de ascética que Galdós valora más positivamente es la *Imitación de Cristo* de Thomas a Kempis. En

Rosalía, la novela que nunca publicó y que prefigura a *Gloria*,[1] la obra de Kempis ocupa un lugar importante en la evolución de la historia. Rosalía va a la iglesia con su padre, envuelto los dos en conflictos personales. El padre ha perdido su fortuna, y ha decidido como consecuencia renunciar a los bienes terrenos y prepararse para una muerte justa. Rosalía, enamorada de un pastor protestante, busca en la misa palabras de conciliación que exalten los valores humanos por encima de las diferencias de credos y justifiquen así su amor por un hombre de religión distinta. El sacerdote confirma con su sermón el propósito ascético del padre, pero en nada satisface la esperanza de la hija. Por el contrario, ataca con palabras muy duras el latitudinarismo, o indeferentismo religioso. Repite entonces la lapidaria sentencia con que las Encíclicas de Pío IX se oponen a la tolerancia y a los casamientos mixtos: "Qui non es mecum contra me est", usada en *Quanto Conficiamur Moerore* de 1863 y *Graves ac Diuturnae* de 1875 con respecto al mismo asunto[2] (la novela se escribió entre 1870 y 1875).[3] Este sermón se pronuncia en una iglesia madrileña que recuerda mucho la de *Doña Perfecta*, por las imágenes mal vestidas y peor pintadas y la vulgaridad y mal gusto de su arte religioso. Para intensificar la lobreguez del recinto, Galdós detalla enfáticamente el ruido metálico del dinero en el silencio del claustro y los movimientos rápidos del sacristán que roba las monedas de plata del cepillo.

---

1.   Cito según la edición de Alan Smith, *Rosalía*. Madrid, Cátedra, 1983. (Letras Hispánicas).
2.   En *The Papal Encyclicals*, I, págs. 370 y 452.
3.   Walter Pattison, en *Etapas preliminares de Gloria*. Barcelona, Puvill, s.a., pág. 11 fija sin mucha seguridad el año 1872. Ver además la "Introducción" de Alan Smith a la ed, cit., págs. 11-12. Lo único seguro es que el manuscrito es posterior a *La Fontana de Oro* y anterior a *Gloria,* es decir escrito entre 1870 y 1875.

Rosalía procura observar el ritual siguiendo las indicaciones de la *Introducción a la vida devota* (1604) de Francisco de Sales, que se menciona con el título más popular de *Método de San Francisco de Sales*.[4] Pero no puede entender lo que lee: "encontraba aquello demasiado obscuro y embrollado, sin duda por no estar versada en los secretos de la escolástica" (268). La lectura de Thomas á Kempis le resulta también poco inteligible y manifiesta entonces: "Todo esto es muy bueno; pero yo debo ser muy torpe, porque no lo entiendo" (270). Galdós se aleja ahora del personaje para decir su propio juicio sobre la *Imitación*, "elocuente y divino libro". Transcribe los párrafos de Kempis que el personaje lee, presumiblemente copiados de la versión española que tiene en su biblioteca.[5] La selección de los textos es el resultado de un rápido espigar entre los capítulos de mayor significación. Son frases diseminadas en distintas partes del libro que Galdós recoge, une con puntos suspensivos, o acopla sin solución de continuidad alguna. No sigue el orden numérico de los capítulos: va del Capítulo 53 del Libro III, al Capítulo 54 del mismo libro y luego a los Capítulos XII, IX y XI del Libro I.[6] El orden tiene que ver sin embargo con los aspectos

---

4.   La *Introducción a la vida devota* de San Francisco de Sales establece los fundamentos de la vida ascética para las gentes comunes que aspiran a la santidad. No he podido identificar las ediciones españolas del tiempo de Galdós, que deben haber sido muchas. Sobre la relación de Francisco de Sales con la literatura española ha trabajado M.M. Rivet, *The Influence of the Spanish Mystics on the Works of Saint Francois de Sales*. Washington, Catholic University of America Press, 1941. Galdós se refiere con frecuencia a San Francisco de Sales en otras obras como *El amigo Manso*, *Fortunata y Jacinta*, *Ángel Guerra* y *El abuelo*.
5.   Es la traducción del P. M. F. Magin Ferrer, Barcelona, 1855; ver el catálogo de Berkowitz, pág. 67.
6.   Cito por la traducción inglesa de Leo Shirley-Price. *The Imitation of Christ*, New York, Dorset Press, 1952.

más destacados del ascetismo de Kempis y quizás los más discutibles para una conciencia liberal: el apartamiento de la compañía de otros hombres, la aceptación gozosa de contrariedades y dolores, la ciega obediencia a los superiores, el desconocimiento de las pasiones humanas. La selección es en verdad una síntesis bastante perfecta del libro. Es evidente el propósito de Galdós de presentar a Kempis como modelo de ascetismo, estableciendo al mismo tiempo que no es lectura edificante para jóvenes por su falta de aceptación de dimensiones humanas y sobre todo por su pesimismo vital y social.

Las ideas de Galdós sobre el ascetismo se tornan más violentas a partir de *La familia de Leon Roch*. En *Gloria*, Kempis está presente todavía en los momentos de pesimismo del personaje: "Hacia Ficóbriga caminaba Gloria arrastrando la pesadumbre de su dolor, como el imitador de Cristo a quien éste dijo: 'Toma tu cruz y sígueme' " (NI, 574).[7] Pero en *Gloria*, Galdós ha querido presentar su tesis sin extremar las tintas negativas, para que el asunto brille de por sí. Hay beatas y curas ascéticos, pero ni don Silvestre, ni el tío de Gloria, ni su mismo padre parecen personajes de ese cuño. La afirmación vital de los canónigos y clérigos no llega sin embargo a la aceptación de credos contrarios. En *La familia de León Roch* aparece uno de los personajes menos simpáticos de Galdós, Luis Gonzaga, asceta que imita la vida del Santo de su nombre, a quien nada costaba la castidad pues carecía de apetitos, según el *Flor Sanctorum*; santo protector además de las juventudes estudiosas españolas.[8] El ascetismo

---

7. Ver Chapter XII, Book II, pág. 84 de la *ed. cit.*
8. Como prototipo de mancebo piadoso y casto lo presenta Rivadeneira en su *Flos Sanctorum* o *Libro de la vida de los Santos*. Madrid, Sánchez, 1599-1601 y todas las *Vidas* de él derivadas como la del *Flos Sanctorum ou Historia das Vidas de Christo Nosso Senhor, de Sua Santíssima May e dos Santos e suas festas...*

de Luis Gonzaga constituye el motor que desencadena el drama de los Roch. Pero se trata de un drama privado, familiar, sin mayores consecuencias sociales. La crítica al ascetismo religioso crece en Galdós a medida que observa con más profundidad los conflictos de índole social, a partir de *La de Bringas*. En *Lo prohibido*, por ejemplo, fustiga al ascetismo extensa e intensamente:

> La causa de nuestro decaimiento nacional era el falso idealismo y el desprecio de las cosas terrenas. El misticismo nos mató en la fuente de la vida, que es el estómago. Después de que el amar se consideró función despreciable, la mala alimentación trajo la degeneración de la raza. El estómago es la base de la pirámide en cuya cúspide está el pensamiento. Sobre base tan liviana no puede elevarse un edificio sólido. Desde el siglo XIII, viene haciéndose entre nosotros una propaganda cargantísima contra el comer. La caballería andante primero, y el misticismo después, han sido la religión del ayuno, el desprecio de los intereses materiales. Ya tenéis atrofiado aquí un principio de muerte, ya tenéis uno de los principales nervios del poder de una nación: la propiedad.

---

del P. Fr. Diego do Rosario. Lisboa, Miguel Rodrigues. 1767. De Rivadeneira parte también obras más populares como el *Flos Sanctorum de la Familia Cristiana* de Francisco de Paula Morell. Buenos Aires, Difusión 1943, en cuya "Reflexión" se define a San Luis Gonzaga como "patrón ejemplar de la juventud estudiosa" y como modelo para que los jóvenes aprendan a conservar su inocencia y, si la han perdido, "a compensar con la penitencia la pérdida de joya tan preciosa" (pág. 183). Galdós ha pensado en todo esto cuando crea a un personaje que es émulo de San Luis Gonzaga y que, aunque desconoce el amor entre los sexos, interviene irónicamente en la relación de un matrimonio.

No dicen la propiedad es un robo, como los socialistas modernos; pero les falta poco para decir que es pecado. La caballería funda la gloria en no tener camisa y el misticismo dice al hombre: "La mejor riqueza es ser pobre. Desnúdate y yo te vestiré de luz." En fin, estupideces y por añadidura, guerra sin cuartel al agua. Lo que entonces se llamaba el demonio es lo que nosotros llamamos jabón. Todos los desprecios acumulados sobre la propiedad, sobre el buen comer y la cómoda satisfacción de las necesidades de la vida, vienen a reunirse sobre la infeliz moneda, a quien se mira como el origen de todos los males. Los que durante una vida de trabajo se han hecho ricos, concluyen por arrepentirse y dedicar su dinero a fundaciones pías. El orgullo está en vivir a la cuarta pregunta y en pedir limosna. Jamás se ofrecen como ejemplo ni el ingenio ni el trabajo, sino la miseria, el desaseo y la sarna, No hay un santo en los altares que no haya ido allí por haber cambiado el oro por las chinches (NII, 238).

El duro vocabulario naturalista de Galdós en éste y otros párrafos similares de la novela subraya ahora un claro propósito crítico. No se trata ya de pintar desviaciones psicológicas provocadas por el misticismo en la vida particular, sino de enjuiciar las consecuencias de la filosofía ascética en la vida nacional. Para estas fechas, Galdós coincide ya con los Regeneracionistas, especialmente con Picavea y Mallada, en esas y en otras ideas similares:[9]

---

9.   Julio Rodríguez Puértolas, en "Galdós y El caballero encantado", AG. VII, 1972, págs. 117-132 (reproducido en su edición de *El caballero encantado*. Madrid, Cátedra, 1977 y en *Galdós. Burguesía y Revolución*. Madrid, Turner, 1975) indica algunos contac-

En *Lo prohibido* hay neurosis particulares, neurosis familiares y neurosis nacionales. Los personajes viven ya en un mundo abúlico noventayochista. No trabajan para el logro de la propia felicidad. El personaje que narra, un Don Juan decadente, ni siquiera puede ya conquistar mujeres sin dueño. La frase de Unamuno "que trabajen ellos" puede aplicarse anticipadamente a los personajes de esta novela, siempre que se entienda el distinto sentido. En Unamuno, es actitud valiosa en cuanto rompe con el conformismo y el materialismo burgués; en Galdós, cincuenta años antes, es un desvalor que impide el logro de los beneficios materiales vistos positivamente desde la perspectiva progresista. Como un testigo mudo de esa decadencia nacional, el Padre Rivadeneyra, biógrafo de San Ignacio, figura con sus obras en la biblioteca, según el inventario de Camila. Es la biblioteca de uno de los personajes, enloquecido con la lectura de las Vidas de Santos.

II. Las menciones a las *Vidas* de Santos y a las características que la tradición popular confiere a cada uno de ellos son muy frecuentes en las novelas. Debió constituir uno de los orgullos de Galdós su sorprendente conocimiento de santos y milagros. Para tener una idea de la abundancia del material, basta consultar el incompleto índice de personajes históricos y novelescos que aparecen como apéndices de las *Obras completas*.

Dos vidas son las fundamentales sin embargo: La de San Ignacio de Loyola, en la versión del Padre Rivadeneyra,[10] y

---

tos de la novela con ideas regeneracionistas. Sería útil extender esa consideración a las demás obras de Galdós.
10. Galdós debió manejar la edición de las *Obras escogidas* de Rivadeneyra. Madrid, Rivadeneira, 1899; yo manejo además el útil estudio de Rafael Lapesa, "La *Vida de San Ignacio* del Padre Rivadeneira", en *Revista de Filología Española*, XXI, 1934, págs. 29-50.

la de San Agustín. Clarín indica, al comentar la aparición de Nazarín, que algunos rasgos del personaje se asocian con la historia de San Ignacio.[11] En términos generales, Galdós parece poco inclinado a la valoración positiva de los jesuitas. Si San Ignacio figura en algún contexto es por lo quijotesco de su actitud vital o por representar en general el espíritu del ascetismo.

La presencia de San Agustín tiene otro sentido. Su lectura se evidencia desde los años de preparación de *Gloria*. En Cádiz, Gabriel Araceli debe fingir cierta cultura religiosa para poder entrar en el cerrado círculo de mojigatas que rodea a la preciosa Amaranta. Como es soldado, dice llenar el ocio que le deja el ejercicio de las armas con lecturas teológicas: "Mi maleta de campaña no contiene más que libros de Teología, y desde que tengo un rato de vagar, entre batalla y batalla, me harto de leer una materia que para mí es más grata que las mejores novelas" (ENI, 872). Entre esas lecturas imaginadas debe contarse San Agustín, en concreto *La ciudad de Dios* o algún tratado específico como *De libero albedrío* en que se discute la *presciencia* divina. Araceli afirma que se trata de asunto de difícil captación y ante una pregunta sobre el particular responde evasivamente: "Opinaría lo mismo que San Agustín, *secundum Augustinus*" (ENI, 874). Los personajes están discutiendo el principio de la presciencia brillantemente expuesto por San Agustín para quien Dios contempla con mirada inmutable todas las posibles ocurrencias humanas pasadas, presentes y futuras; texto de fundamental importancia en el tiempo de la ficción en que se intenta explicar los cambios progresivos de la historia como momentos de una paulatina revelación divina.[12]

---

11. "Halma" en *Galdós*. Madrid, Renacimiento, 1912, pág. 283.
12. San Agustín habla extensamente de la "presciencia" en *La ciudad de Dios*, que manejo en la traducción inglesa de Marcus

La referencia a San Agustín está acompañada entonces por otras a tratados españoles de padres agustinos, como la *Guía de Pecadores* de Fray Luis de Granada; junto con el *Tratado de la Tribulación* del Padre Rivadeneyra, la Guía sirve de mensajero a Lord Gray y a Asunción que ocultan entre sus páginas billetes amorosos.

En estos casos se trata sólo de un uso referencial destinado a comentar irónicamente la función social de esa literatura religiosa o de dar un indicio de la importancia de San Agustín en las ideologías contemporáneas. Pero en *La batalla de los Arapiles*, la primera novela de estructura cervantina. San Agustín cumple una función diferente. En su lectura halla San Juan de Dios el modelo de vida que procurará seguir; los libros religiosos afectan la salud mental del personaje. San Juan de Dios es un monje visto con tierna benevolencia por el autor. El monje pertenece a la Orden Hospitalaria "que fundó en Granada nuestro Santo Padre y patrono mío el gran San Juan de Dios, hace doscientos setenta años un poco más o menos. Seguimos en nuestros estatutos las reglas del gran San Agustín" (ENI, 1601), nos informa el personaje. La Orden predica con el ejemplo y ejerce caridad. Los monjes viven de limosnas, recogen a los mendigos, visitan a los pobres y cuidan de los enfermos. Juan de Dios es un agustiniano en genio y figura; tiene la apariencia de un "anacoreta de los desiertos o mendigo de los campos" (ENI, 1060). Come sólo hierbas, bebe agua corriente y parodia aspectos particulares de la experiencia de San Agustín, como el de las tentaciones eróticas y la frecuencia de visiones edificantes. En esas visiones, el personaje adquiere la facultad de presciencia ya que "Dios permite que por un estado especial de nuestro espíritu sepamos algunos hechos ocurridos en país

---

Dod, *The City of God.* New York, The Modern Library, 1950, Book Fifth, págs. 142-181.

lejano sin que nadie lo cuente" (ENI, 1962). Las visiones son logradas mediante el método que San Agustín describe: desconfianza de los sentidos, en especial de la vista y del oído, concentración, visión interna, con "los ojos del alma". Los sentidos engañan porque son los órganos de la concuspicencia humana, dice el fraile siguiendo a su maestro.[13] El comer poco y la vida ascética favorecen los estados receptivos que conducen a las visiones.

En la novela se presentan como visiones del fraile escenas reales que su locura le impide reconocer. Esas visiones se construyen sobre el modelo de la de San Agustín conocida como *la escena del jardín de Milán* o *la revelación del Tolle et Lege*, muy aprovechada en la iconografía religiosa. De acuerdo con lo que se cuenta en las *Confesiones*, San Agustín reposaba un día en el jardín milanés bajo la sombra de un árbol cuando se le apareció un ángel en figura de niño o niña (puer o puera), según quienes lo interpreten, entonando como un canto la citada frase latina que alude a la necesidad de leer los libros divinos. Según las versiones más corrientes, las que la plástica reproduce, el ángel despliega un pergamino o rollo, de allí el *tolle* que en sentido literal significa desenvuelve, estira.[14] En otras figuraciones, el ángel señala directamente las páginas de un libro. El personaje de Galdós, sumido en dudas similares a las de San Agustín, se concentra a leer en el sitio más apartado de la huerta, no la Biblia sino el libro de otro agustiniano, Fray Luis de León *De los nombres de Cristo*. Se detiene en el bellísimo capítulo "Descripción de la miseria humana y

---

13. *Confessions*, versión de R.S.Pine-Coffin. New York, Dorset Press, 1961. En el Book X, San Agustín analiza los engaños de la vista, el oído, el tacto y el olfato, para mostrar que el verdadero conocimiento de Dios es anterior a la experiencia. Ver los apartados 29-35, págs. 233-244.
14. Se encuentra en el Book VIII, págs. 170-178 de la *cit. ed.*

origen de su fragilidad", con el que Fray Luis inicia el segundo libro.[15] Lectura apropiada, ya que el pobre Juan de Dios es víctima de la concuspicencia de los deseos bestiales como él los califica, que le impiden las visiones beatíficas.

La aparición no es la del *puer ludens* sino la de una *puera* que es en verdad Inés, a quien el fraile considera muerta. Se le presenta como un ángel de Boticelli, vestida con blanca túnica sobre la que se esparcen los cabellos sobre una sarta de perlas orientales; lleva en la mano un ramillete de flores. En otro momento viene vestida de pastora (Inés integra una compañía de cómicos ambulantes). Cuando Araceli yace enfermo, Inés lo visita: el fraile cree ver de nuevo a la aparición; ahora lleva él en las manos un libro de rezos para protegerse. Prado, libros, apariciones angélicas, son en todos los casos reminiscencias de la historia agustiniana. El fraile interpreta esas visiones como tentaciones infernales y cita para respaldarse en una autoridad las palabras con que Santa Teresa en su *Vida* describe la tramoya teatral urdida por el demonio para presentársele bajo la figura de Cristo.

En las novelas del período que se ha llamado espiritualista, San Agustín aparece en varios contextos, sobre todo en relación con personajes valiosos que han agotado las experiencias humanas y se entregan al amor de Dios sin renegar de su propia naturaleza. En *Nazarín* puede haber elementos de la *Vida* de San Ignacio, como la lucha con el poder civil, el encarcelamiento, los vejámenes y, con respecto al personaje, su tosquedad campesina y su falta de educación superior.[16] Pero sin embargo el espíritu de la novela es otro. Las lecturas y las observaciones del personaje son más bien de

---

15. En *Obras completas castaellanas de Fray Luis de León* anotada por el padre Félix García, Madrid, Biblioteca de Autores Cristianos, 1959, págs. 513-516.
16. Clarín, *op. cit.*, pág. 284.

procedencia agustiniana. No se trata de referencias demasiado librescas, ya que el propio personaje manifiesta su desprecio por la literatura escrita. Nazarín es un ser eminentemente activo para cuya composición no ha bastado la biografía de un Santo sino una combinación sincrética de las de San Ignacio, San Agustín y quizá la de San Francisco de Asís.

Es en *Halma*, donde la evidencia de San Agustín parece indiscutible.[17] Halma acaba de fundar un convento o monasterio hospitalario y decide dedicarse, en plena viudez, a la vida piadosa, sin atender a las características de su sana naturaleza ni al atractivo que ejerce sobre ella su primo. Las palabras con las que Nazarín procura disuadirla de su celibato reflejan las de San Agustín en *De bono viuditatis*,[18] en que se discute el valor de la castidad de las viudas devotas. San Agustín se dirige a Proba, dama romana que funda con su suegra y con su hija una comunidad similar a la Halma. El Santo exalta los valores de la viudez cuando van acompañados de abstinencia sexual y de absoluta entrega a Dios; pero, conocedor de la naturaleza humana, acepta la posibilidad de nuevos matrimonios si las pasiones sensuales desatadas necesitan satisfacción. Nazarín no llega a mayores extremos en su ponderación de la vida matrimonial aplicada a quienes no

---

17. Hace un excelente análisis de las fuentes agustinianas en la novela, G.G. Minter, "Halma and the Writings of st. Augustine", AG. XIII, 1978, págs. 73-97. Entiende que esa presencia de San Agustín se extiende hasta *Misericordia*, novela en la que el concepto de santidad deriva de *La ciudad de Dios*. J.E. Varey, "Man and the Nature in Galdós' *Halma*", Ag, XIII, 1978, pág. 64 encuentra también clara la presencia de San Agustín, cuyas obras, especialmente *La ciudad de Dios*, impregnan, dice, el pensamiento de la protagonista.
18. Conozco ese tratado en la traducción inglesa, "The Excellence of Widowhood", hecha por Sister M. Clement Eagan en *Saint Agustin. Treatises de Various Subjects*. New York, Fathers of the Church Inc., 1952, vol. 16, págs. 265-319.

están seguros de la vocación ascética. No es extraño que en el texto de la misma novela, lea Nazarín *La ciudad de Dios* y que practique con entusiasmo el trabajo manual de la huerta, tan elogiado por San Agustín en *De opera monachorum*.[19] En un momento determinado, el padre Manuel Flores pide a don Modesto Díaz la lectura del *Soliloquio de nuestro padre San Agustín...Confesión de la verdadera fe*, obra de la que se transcriben varios párrafos en una excelente versión española (Capítulo XXXII). El *Soliloquio* debió ser lectura favorita de Galdós por la honda palpitación humana que transmite.[20]

Durante su permanencia en la congregación de Halma, Nazarín se ocupa además de sintetizar los ocho libros de los *Discursos de la paciencia cristiana* de Fray Hernando de Zárate, obra española el siglo XVII basada en el tratado agustiniano *De Patientia*.[21] La paciencia es la virtud más alabada por Nazarín y constituye una de las pruebas a que somete al primo de Halma. La lectura de San Agustín es pues básica para entender el sentido de la novela en el que el goce de la vida se integra al sentimiento religioso.

En 1905, la polémica religiosa se torna más intensa en España a raíz de la promulgación de la Ley de Cultos. En *España sin rey* reproduce Galdós los discursos parlamentarios de Echegaray y de otros en defensa de esa ley. En ese contexto, vuelve a aparecer San Agustín. Un personaje alegórico, doña Leche, representación de España como madre

---

19. En el volumen precedentemente citado, aparece la traducción de Sister Sarah Muldowney, "The Works of Monks", págs. 323-394.
20. Sólo figura en la biblioteca de Galdós una obra de San Agustín, las *Meditaciones* traducidas por Rivadeneira. Barcelona, sin año, Ver Berkowitz, *op. cit.*, pág. 69.
21. En el citado volumen, *Treatises of Various "Subjects"*, el tratado, traducido por Sister Luanne Meagher como Patience, ocupa las págs. 231-269.

nutricia, lee a su marido un árbol genealógico con las frases siguientes: "toma y lee...tolle et lege, y verás aquí como eres tan poco para mí"... (ENIV, 296). Páginas más adelante, Eufrasis relata su encuentro con Cefira, que pretende ser monja recoleta, y puntualiza su relato con frases y aún con párrafos enteros de las *Confesiones*.

San Agustín tiene pues papel de gran importancia en la evolución del pensamiento religioso de Galdós. Frente a la sequedad del ascetismo, la doctrina agustiniana parece más acorde con la naturaleza del hombre. San Agustín es hombre además cuya pasión humana presiona contra la norma ascética generando una dramática experiencia. El origen bereber de San Agustín, nacido en Numidia (región de Argelia hoy) explica además una conexión interna con Nazarín, "castizo árabe sin barbas".

III. *Nazarín* es una imitación de la vida de Jesús, pero con un espíritu totalmente diferente de la *Imitación* de Kempis.[22] Es un Cristo libre de excesos ascéticos que ni busca la soledad del yermo ni rehuye los contactos humanos. Un Cristo devuelto además a sus raíces orientales y entregado a la más auténtica caridad. Se ha visto con frecuencia la relación de la novela con la *Vie de Jesús* de Ernest Renán, conocida en España desde su publicación en 1864.[23] Galdós cita poco a Renán y en contextos de poca importancia. Claro que debió haber leído el libro, aunque no figura en su biblio-

---

22. Los citados artículos de Parker, "*Nazarin, or the Passion of Our Lord...*" y de Ciriaco Morón Arroyo, "*Nazarín y Halma*: sentido y unidad" nos proporcionan toda la información básica y la bibliografía fundamental para estudiar la relación de la novela con la *Vida de Cristo*. Importa como introducción al tema, el artículo de Frank P. Bowman, "On the Definition of Jesus in Modern Fiction", en el mismo número de AG, II, 1967, págs. 53-66.

23. Morón Arroyo hace un acabado análisis de los contactos de la novela con la *Vie de Jésus* de Renan, que no es necesario repetir.

teca. En la confrontación de ambas obras sólo se percibe la tendencia en ambos escritores de ver a Cristo como hombre algo determinado por un tiempo histórico. Quizá a ello se deba la falta total de sobrenaturalidad en la vida de Nazarín, su carencia de sentido trascendente, rasgo propio del siglo XIX y de la concepción burguesa. Sus gestos son los de la vida cotidiana y en ningún momento el personaje se siente portador de un mensaje divino ni promotor de acciones superiores. Pero al mismo tiempo, eso es lo que lo separa fundamentalmente del Cristo de Renán, que es un personaje imbuido de responsabilidad histórica y moral hasta extremos de excentricidad patética. Renán no brinda, sin embargo, en la *Vida de Jesús*, elemento alguno que justifique la importancia de Cristo en el desarrollo de la civilización humana, como bien lo ve Strauss.[24] El personaje de Galdós, ni se cree santo ni hijo de Dios ni depositario de misión religiosa o histórica alguna. Es un ser simple que goza con ser como es sin pretender recompensas terrenas o celestiales. Su grandeza está en su sencillez, en la calidad genuina de sus palabras y sus actos. Más que derivado de Renán, el peresonaje es una figura diametralmente opuesta a la interpretación del autor francés.

Es mucho más segura la relación de *Nazarín* con otra vida de Cristo, la *Nouvelle vie de Jésus* de D.F. Strauss. Galdós tiene en su biblioteca el tomo II de la edición española de Valencia, sin año.[25] Es el tomo II el que realmente importa por las razones que veremos luego.

---

24. Me refiero a D.F. Strauss, *Nouvelle vie de Jésus*, traducción de A. Neftzer y Ch. Dollfus. Paris, Librairie Internationale, 1864, vol. I, pág. 44.
25. Es la traducción de José Ferrandiz, Valencia, sin año. Ver el catálogo de Berkowitz, pág. 69.

Strauss persigue como Renán la fidelidad histórica y científica, pero sin perder de vista un propósito muy claro: "Le christianisme est une puissance tellment vivante et la question de ses origines implica de si fortes conséquences pour le présent le plus inmediat, qu'il faudrait plaindre l'imbécilité des critiques qui porteraient à ces questions un intérêt purement historique" (IX). Persigue pues una finalidad didáctica, que Galdós debió apreciar, no solamente por restituir la verdad histórica, sino fundamentalmente por servirse de ella para ayudar al hombre contemporáneo a librarse de yugos dogmáticos (X). A diferencia de Renán, toma los Evangelios como autoridades mediatizadas por la intención de quienes los escriben y no como documentos fidedignos; de allí que le confiera más importancia que Renán al Evangelio de San Juan, el más apartado de la verdad histórica. Además, dice el autor, los historiadores que utilizan los relatos evangélicos dejan de lado a Jesús, lo que Jesús ha dicho y ha realizado, para tomar en cuenta lo que le hacen decir y hacer los Evangelistas. Una tarea fundamental de Strauss será la de separar la verdad histórica de los puntos de vista personales de cada Evangelista.

También distingue lo que en el Cristianismo hay de permanente y necesario y lo que existe de doctrina que rechaza el espíritu de la modernidad. Jesús inaugura una conciencia más íntima y más completa de la humanidad. Esa división puede percibirse en la Biblia, pero tiene su mejor comprobación, según Strauss, en el sentimiento de todo cristiano honesto. En una palabra, el autor pretende penetrar en la esencia misma del Cristianismo prescindiendo de lo accesorio y exterior. Y ésa es –dice– tarea del historiador; es evidente el hegelianismo de ese intento.

El libro de Strauss apareció en 1864, pocos meses después de la *Vie* de Renán. En el prólogo de enero de ese año dice tender la mano por encima del Rin, en amistoso gesto hacia el pensador francés. Pero los traductores al francés de Strauss señalan en la "Introducción" diferencias notables tanto en la parte analítica como en la sintética de la obra. El autor mismo, al hacer luego un útil resumen de las vidas de Jesús anteriores a la suya establece con respecto a Renán claros distingos. Para el lector de hoy las diferencias son notables. El libro de Renán es una obra de divulgación sin un método histórico coherente; su mayor valor es su claridad expositiva y su estilo. En cambio el de Strauss constituye un impresionante acopio de información analizada con la más rigurosa metodología existente entonces. El breve pero sustancioso juicio de Ferrater Mora destaca que la crítica de Strauss en esta obra en particular no afectaba el contenido espiritual del Cristianismo, por el contrario pretendía conservar su sentido como la más alta expresión moral de la humanidad. Posteriormente, Strauss extrema su hegelianismo de izquierda, hasta merecer la reprobación de Nietzsche que lo considera el prototipo del filisteísmo cultural alemán.[26] Galdós debió apreciar el equilibrio que Strauss logra entre lo histórico y lo tradicional, entre lo antiguo y lo moderno; y no menos debió apreciar su mantenimiento de los valores profundos del Cristianismo y su respeto por la trascendencia religiosa y política de la obra de Jesús, elementos ausentes en la deformación de Renán.

Renán le hubiese servido a Galdós si su interés en *Nazarín* hubiese sido el de presentar a un imitador exterior de la vida de Cristo, en la misma dimensión en que el Quijote es imitador de los héroes caballerescos; de ello hubiese resultado una parodia humorística. Pero Galdós quiere hacer de Nazarín un ser superior, como lo será luego Benigna, como lo es el Cristo de Strauss, por su dimensión de amor y su

---

26. Vol. II del *Diccionario de Filosofía* de Ferrater Mora. Buenos Aires, Sudamericana, 1965, pág. 725.

modo de actuar limpiamente sobre la realidad, sin la intervención de fuerzas supernaturales.

La estructura misma de la novela tiene que ver con el libro de Strauss. El personaje es un religioso activo, de posible origen semítico según su apariencia, que rechaza los rituales establecidos y hasta se niega a decir misa con demasiada frecuencia. La elección de la ropa, que es siempre en Galdós símbolo de una actitud más profunda, consiste en eliminar sin violencia el hábito sacerdotal (rechaza el sombrero de teja que se le ofrece) y vestir como un predicador oriental con sayo de tela gruesa abierto a la altura de los hombros, montera de pelo de conejo y cayado de pastor. Con su cambio de vestimenta, España también se transforma en un paisaje bíblico, primordial, desértico, de vida campesina. En las relaciones con sus dos discípulas, Andara y luego Beatriz, Nazarín evidencia su aceptación de la índole humana hasta el punto de perdonar el robo, el incendio, la prostitución. Predica con un lenguaje llano, desprovisto de alambicamientos retóricos. Es un antimístico en todo sentido, también en la sencillez de su lenguaje, según la idea de Galdós sobre la lengua de la mística.

De inmediato suceden los hechos milagrosos y la persecución y condena de Nazarín, que siguen muy de cerca el texto de Strauss. La primera aventura es la curación azarosa de la niña de la Fabiana, en episodio en que se sintetizan los milagros de Cristo. La niña está en su lecho de enferma en el mísero bodegón en que vive su familia, reducida en el episodio a dos mujeres, una ya vieja y otra joven. Los rasgos de la joven, Beatriz, su carácter de mujer prostituida, su cariñosa devoción por Nazarín, y hasta cierta predilección del Maestro por ella, recuerda rasgos de la historia de María Magdalena, hermana de Lázaro en algunas versiones evangélicas.[27]

---

27. Ver Strauss, vol. II, págs. 204 y siguientes.

La niña no está muerta como Lázaro, pero si tiene la apariencia de un cadáver: "Tenía Carmencita el rostro cadavérico, los labios casi negros, los ojos hundidos, ardiente la piel y todo su cuerpo desmayado e inerte, presagiando ya la inmovilidad del sepulcro" (NIII, 523). Andara la llama luego *la resucitada*. La edad de la niña y lo temprano del suceso en la cronología de los hechos permite además la asociación con otro milagro de Cristo, anterior al de Lázaro, el de la resurrección de la niña de Jaide contada por San Mateo, San Marcos y San Lucas. El relato más detallado es el de Marcos (5-35-43):

> Y llegan a la casa del jefe de la sinagoga, y ve el alboroto y los que lloraban daban grandes alaridos; y entrando les dice: ¿por qué os alborotáis y lloráis? La niña no murió sino duerme. Y se burlaban de él. Mas él, echándolos a todos, toma consigo al padre de la niña y a la madre y a los que con él iban, y entra a donde estaba la niña. Y toman la mano de la niña, le dice Thalitá kum(i) que traducido significa, "niña, te lo digo, levántate". Y al instante se levantó la niña, y caminaba, pues tenía doce años. Y de repente quedaron fuera de sí con grande asombro. Y les mandó encarecidamente que nadie lo supiese, y dijo que se le diese de comer.[28]

En este modelo bíblico, Jesús habla a la niña y toca su mano; en otros milagros que Strauss denomina curaciones a

---

28. Galdós no usaría sin duda una versión tan sofisticada como esta que cito, que es la de José María Bover y Francisco Cantera Burgos. Madrid, Biblioteca de Autores Cristianos, 1961, pág. 1192. Galdós tiene a mano entre sus libros (Berkowitz, pág. 66) la traducción de Felipe Scio de San Miguel en 5 volúmenes, Madrid, 1852-1854.

distancia, no hay casi contacto directo con la enferma. Para Strauss, las curaciones por contacto o a distancia son posibles sin que necesariamente obren poderes especiales, por simple ley de magnetismo animal. Son para él, enfermedades de carácter psicológico fáciles de curar para quien sabe entender las causas. Los milagros en cambio que implican la suspensión de una ley natural, como las resurrecciones, son exageradas leyendas de quienes tempranamente convierten a Jesús en un mito. En el caso de Nazarín, Galdós procura mantener al personaje fuera de toda connotación de sobrenaturalidad y para ello evita palabras o gestos taumatúrgicos. En el mismo episodio conocemos la enfermedad de Beatriz que sufre de males ventrales y ataques epilépticos. Andara cree que es caso de mujer endemoniada. Esas referencias traen a la historia el eco de otro milagro de Jesús, la curación de la mujer con flujo de sangre, básica en Strauss para su teoría del magnetismo. Nazarín habla en parecidos términos médicos: "Pues eso -dijo Nazarín- no es brujería ni nada de demonios; es una enfermedad muy común y muy bien estudiada, que se llama histerismo" (NIII, 525). Es un fenómeno imaginario, agrega, una de esas aberraciones de la sensibilidad que produce nuestro sistema nervioso. Todas estas referencias conjuntas, la niña enferma o resucitada, la mujer endemoniada o histérica, no tienen otro sentido en la novela que el de despertar en el lector la reminiscencia de la conocidas historias bíblicas. El referente funciona de modo tal que los episodios de la novela suscitan en el lector cierta duda sobre si son curaciones casuales o milagrosas. Cuando Nazarín habla de su imposibilidad de hacer milagros es pues verdad; pero el lector no sabe si en el desarrollo ulterior de la novela se dará la razón a la versión objetiva y científica de Nazarín o al mito que los testigos van creando.

En esa paulatina y creciente creación del mito es donde Strauss tiene mayor presencia. Strauss separa en cada uno de los momentos de la historia de Cristo lo que considera dimensión real de la dimensión mitológica: dimensión mitológica que no tiene en Renán repercusión alguna. En la obra de Galdós asistimos a la creación del mito de Nazarín iniciado con esa curación que Andara y los demás persisten en considerar milagrosa.[29]

La tensión entre historia real y mito, característica del Jesús de Strauss, es también la tensión fundamental de la novela de Galdós. El mito va cobrando mayor espacio que la realidad en los episodios siguientes: la actuación de Nazarín durante la peste, la conversión de Belmonte, el prendimiento, el juicio y el encarcelamiento. Resulta ahora más fácil advertir cómo trabaja Galdós esos episodios. Sigue el relato bíblico, pero reducido a lo más esencial: el Monte de los Olivos es sólo un promontorio rocoso; el lavado de pies en el río, requerimiento del calor y no ritual; la última cena, es cena de bellotas, los esbirros son soldados de la Guardia Civil, en la via crucis de Nazarín existe, como en la de Cristo, persecución por justicia y vejámenes.

En ninguno de esos momentos pasa nada que no pueda explicarse con la estricta verosimilitud de una crónica policial; nada sucede fuera de la contingencia de los hechos mismos. Y sin embargo la constante y muy sutil referencia evangélica rodea de tal modo esos sucesos que desconfiamos de la intención última del narrador.

Nazarín mismo entra, a pesar de su sensatez y su humildad, en la misma atmósfera mitológica. Después que los ladrones lo asaltan y lo hieren, el personaje adquiere la pres-

---

29. Bowman, en el artículo citado, pág. 61, sitúa a *Nazarín* junto a las obras de Victor Hugo, Dostoievski y Katzanzakis, como un relato hagiofráfico en que los personajes son rencarnaciones de Jesús.

ciencia agustiniana y profetiza su destino, pero de modo tal que lo insinúa ambiguamente sin develarlo:

> "Adivinar no. El Señor me lo dice en mi interior. Conozco su voz. Tan cierto es, Beatriz, que padeceremos mucho, como que ahora es de día."

A partir de entonces, Nazarín anda "taciturno y caviloso" como quien espera suplicio o muerte. Su lenguaje adquiere rasgos de sublimidad parabólica: "Yo te quiero a tí, os quiero a las dos, como el pastor a las ovejas, y si os perdéis os buscaré" (NIII, 554). Cuando la policía los prende después de la cena, hasta parodia frases de Jesús: "¿Contra estas tres pobres criaturas manda la autoridad un ejército?" (NIII, 556) que reproduce la intención de la de Jesús. "¡Como contra un salteador habéis salido con espadas y bastones a prenderme!" (Marc. 14-48).

El interrogatorio del Juez de Madrid es en ciertos aspectos una parodia del de Poncio Pilatos. En la interpretación de Strauss, Pilatos tiene simpatía por Jesús y está seguro de su inocencia, pero no quiere comprometerse en una acción impolítica. El Juez de Madrid es un liberal campechano que ironiza sobre los presuntos milagros de Nazarín incitándolo a que realice alguno para convencerlo y para convencer a la plebe. El populacho, dice, admirará entonces al clérigo, "pero no le crucificarán: de eso está libre" (NIII. 559). Durante el *via crucis* son muchos los elementos que imitan las estaciones de Jesús. Entre los soldados de la Guardia Civil se cuenta Cirilo, buen cristiano, réplica de Cireneo. El ladrón sacrílego que protege a Nazarín del Parricida, es un *buen ladrón*.

El extenso episodio del encarcelamiento de Nazarín constituye una prodigiosa síntesis de elementos reminiscentes de la escena del Calvario y de la muerte de Jesús. En los últimos momentos del *via crucis*, el lugar en que los sucesos ocurren se torna impreciso: estamos en Móstoles o "en donde fuese". A esta imprecisión se agrega otra: Nazarín está enfermo de tifus: "Entrada la noche, se sentía muy mal el buen ermitaño andante y de un modo tan pavoroso gravitaba sobre su alma la impresión de soledad y desamparo, que poco le faltó para echarse a llorar como un niño"(NIII, 572). La calentura de la fiebre le produce sed; pide agua y Andara se la alcanza.

Galdós ha anticipado los elementos de la muerte de Jesús antes de los de la crucifixión para reservar el twist final. Aunque Nazarín no ha sido crucificado, se siente como Cristo, enfermo, moribundo casi, tiene sed y como un niño se queja de soledad y desamparo. Al comentar Strauss ampliamente el sentido de las palabras del Crucificado, "¡Padre, Padre, por qué me has abandonado!", las interpreta como simples expresiones de dolor humano, y en su afán de enfatizar la humanidad de Cristo en sus últimos momentos destaca también su necesidad de satisfacer la sed. En los dos casos, los Evangelistas confieren valor trascendente a esas palabras.

La cárcel de Nazarín tiene las características de una cueva, tan baja de techo que no puede en ella sostenerse un hombre de pie, Los presos están envueltos en esteras o mantas como los cadáveres en sus sudarios. Si leemos el capítulo de Strauss sobre el sepulcro de Jesús encontraremos una descripción de la cueva tallada en la montaña en la que el cadáver, envuelto en un sudario ampliamente descrito, fue depositado después de la muerte.[30] La fiebre de Nazarín le hace ahora percibir borrosamente lo que a su alrededor ocurre. Ve una ascensión que nada tiene de milagroso, ya que el *buen ladrón* ha abierto un agujero en el techo para evadirse. Nazarín se siente elevado, pero renuncia a escaparse. Anda-

---

30. *Op. cit.*, págs. 378-386.

ra, a pocos pasos del enfermo, está transfigurada en una Virgen María, "expedía de su cabeza un resplandor extraño, cual si su cabellera suelta y erizada se compusiera de vívidos rayos de luz eléctrica." También Beatriz, la María Magdalena del Calvario, ha sufrido una transformación: "Su vulgar belleza era ya celeste hermosura, que en ninguna hermosura de la tierra hallaría su semejante, y un cerco de luz purísima rodeaba su rostro. Blancas como la leche eran sus manos, blancos sus pies, que andaban sobre las piedras como sobre nubes, y su vestidura resplandecía con suaves tintas de aurora" (NIII, 574). Nada de extraordinario pasa, y esas visiones se califican como delirios del tifus, pero el modo de usar la referencia crea sobre la realidad un hálito mágico; es la máxima dimensión posible de esas figuras tan reales y tan dignas como lo fueron Cristo, la Virgen y los bienaventurados. La visión se torna luego más compleja cuando Nazarín imagina a los ejércitos que defienden o atacan su doctrina.

Cuando la cuerda de los reos, entre ellos Nazarín que viene sostenido por el *buen ladrón*, avanza sobre una empinada calleja, el personaje "Dudaba entonces como antes, si eran realidad o ficción de su desquiciada mente las cosas y personas que en el doloroso trayecto veía." En el fondo de la calle se alza, en su imaginación y delirio, una tremenda cruz. Nazarín exclama: "¡Señor, no merezco la honra excelsa de ser sacrificado en vuestra cruz! No quiero ese género de suplicio en que el cadalso es un altar y la agonía se confunde con la apoteosis." Unos de los guardias ha anticipado ya que Nazarín será encerrado por loco y no por criminal, "porque ahora priva mucho la sinrazón, o sea que la locura es quien hace a los muy sabios y a los muy ignorantes, a los que sobresalen por arriba y por abajo" (NIII, 575). Pero no hay cruz ni sacrificio alguno. Como lectores, estaríamos dispuestos a aceptar la crucifixión porque hemos entendido el proceso de mitificación del personaje; pero la conciencia realista de Galdós nos obliga a volver a la realidad. Queda sin embargo cierta ambigüedad que el lector corriente no resuelve. Cuando en *Halma* se discute *Nazarín*, al modo en que se discute la primera parte en el Quijote, los lectores, y aún los personajes como Andara, critican el exceso del escritor en el relato de los hechos comunes.

IV. Pero hay un episodio muy central en *Nazarín* que no tiene nada que ver con la vida de Cristo, y ha sido por ello considerado como episodio alegórico. Se trata del encuentro con el señor de Belmonte, hecho que, explicado en sus términos reales, encierra para mí la clave de la novela.[31]

La historia que se cuenta es la siguiente. A Nazarín le ha crecido una barba negra y canosa terminada en punta, que hace resaltar màs su fisonomía arábiga. Cerca de Sevilla la Nueva, Beatriz indica la presencia de unas fincas torreadas, como castillos, que son propiedad del señor de la Corneja, don Pedro del Belmonte. Es éste, hombre de enorme estatura, un gigante casi, y de fuerza descomunal, capaz de despeñar a un jinete con burro y todo. Es además hombre malo que se emborracha, castiga a sus criados y comete todo tipo de tropelías. Se dice que ha matado a su propia mujer en un rapto temperamental, ya que es "cruel con los inferiores, sañudo con los débiles" (NIII, 530). Así descrito, parece un personaje de leyenda medieval, el prototipo del *mal caballero*. Como ocurre con esos casos, se lo identifica con el dragón contra el que Nazarín ha de luchar.

---

31. Para Ciriaco Morón Arroyo (pág. 73), Belmonte es un Herodes; para Parker (pág. 96), una representación simbólica de la Iglesia católica; para Goldman, ("Galdós and the Aesthetic of Ambiguity, Notes on a Thematic Structure of Nazarín", AG, IX, 1974, pág. 106), un Quijote.

Poco después, Nazarín se encuentra con el gigantesco caballero y describe indirectamente su rostro: nariz gruesa y de pronunciada curva, barba blanca y rizosa, gesto despótico y gallardo. "Era imposible no desmayar ante la fiereza de aquellos ojos y la voz terrorífica del orgulloso caballero" (NIII, 531). Cazador empedernido, como ocurre con sus modelos medievales, viste con botas de campo, sombrerillo ladeado sobre la oreja izquierda, escopeta a la espalda, cinto "muy majo" cargado de municiones. Nazarín adivina que se trata de un señor feudal y el mismo caballero así lo confirma: "lástima que no viviéramos en los tiempos del feudalismo, para tenere el gusto de colgar de un árbol a todo el que no se anduviese derecho!" (NIII, 532). De ser un señor feudal, hubiese coincidido en todo con los Templarios de la tradición. Porque el señor de la Corneja participa, en cierto aspecto del espíritu de las Cruzadas, por su violencia, su actitud guerrera y cinegética y sobre todo por su admiración por el Oriente, el *poético*, *sublime* Oriente como lo llama. Ha vivido quince años en el Oriente: "Yo he sido diplomático y cónsul, primero en Beyruth. después en Jerusalen" (NIII, 531). "¡Oh, el Oriente! Qué grandeza!... ¡Sólo alli existe vida espiritual!" (NIII, 532). El encuentro con el caballero parece por momentos una disputa entre un caballero cristiano y un religioso moro, moro de raza, claro está, según el distingo de Belmonte.

Belmonte lleva al moro a su casa, dispone para él un banquete y en su inmensa biblioteca lo interroga "sobre los problemas pendientes del orden social y religioso" el caballero dice haber cobrado conciencia de la entonces llamada *cuestión religiosa* durante sus viajes, en los cuales ha prestado "atención excepcional a los asuntos religiosos" (NIII, 534). Y de pronto espeta a Nazarín una terrible pregunta: "¿Qué piensa usted del estado actual de la conciencia humana?" La extensa respuesta de Nazarín, que es generalmente hombre de pocas palabras, desarrolla el tema fundamental de la novela y complementa lo que en *Halma* en relación con el misticismo español se dirá después. La ciencia y la filosofía, según Nazarín, han fracasado y el hombre buscará de nuevo soluciones de tipo religioso. Todo clama por un retorno al ideal católico, a la imitación de la vida de Cristo "en lo que es posible a lo humano imitar a lo divino" (NIII, 535). Nazarín coincide con Belmonte en observar las señales precursoras de una Ead de Oro religiosa. En Halma se clarifica luego, en extensa consideración sobre la mística española que el retorno al Cristianismo esencial une la religiosidad de Oriente con la de Occidente. Nazarín piensa que en los siglos venideros desaparecerán las diferencias entre las iglesias y en el contexto se exalta la tarea de León XIII en ese sentido. Mientras Nazarín habla, Belmonte busca en periódicos y revistas cierta noticia al poco encontrada y se acerca entonces a su huesped exaltando su abandono de dignidades y de riquezas. Nazarín expresa su asombro y Belmonte dice entonces:

> —Perdóneme si lo descubro. Hablo con el reveren-dísimo obispo armenio que hace dos años recorre la Europa en santa peregrinación.
> —¡Yo.... obispo armenio!
> —Mejor dicho.... ¡si lo sé todo!....: mejor dicho, Patriarca de la Iglesia armenia que se sometió a la Iglesia latina, reconociendo la autoridad de nuestro gran pontífice León XIII (NIII, 536).

El caballero proporciona con cierta extensión detalles de la vida de ese Patriarca. Anda en peregrinación por las capitales europeas, ha estado en Hungría, donde se dice que ha hecho milagros, y en Francia, sobre todo en Valencia, capital del Delfinado. "Pero si tengo aquí los periódicos que hablan del insigne Patriarca y describen esa fisonomía, ese traje con pasmosa exactitud..."(NIII, 537). El Patriarca es como Naza-rín, árabe, nacido en la Mesopotamia, pasó a Armenia, a la región del monte Ararat, cuna de las religiones, y se afilió al rito de su Iglesia intentando unir desde entonces la Iglesia Oriental y la Occidental.

Después sabemos que el caballero está un poco enloquecido por sus lecturas religiosas, lo que explica sus dos confusiones: la de identificar a Nazarín con el Patriarca y la de Confundir al Patriarca con Esrou-Esdrás, obispo armenio del siglo VI que intentó por primera vez esa fusión de las iglesias.[32]

Todo ese episodio de Belmonte adquiere fundamental importancia si se lo confronta con los hechos reales a los que alude. La novela se escribe hacia las fechas de las primeras matanzas de armenios ocurridas en Turquía en agosto de 1894. El diplomático inglés Gladstone y los representantes franceses ante la Gran Puerta denuncian el genocidio practicado por los kurdos. La actitud del Pashá con respecto a los armenios es ambivalente. Las matanzas no se extienden a la población católica armenia, según algunos a raíz de la amistad del Gran Turco con el Patriarca Azarian, una de las figuras más destacadas de la Iglesia Oriental.[33] Azarian es el que influye en la política ecuménica de León XIII y le inspira la idea de reunir en Jerusalén un Congreso Eucarístico para resolver las disidencias, entre

32. "En 622 Esrou-Esdrás ramena les Arméniens a la foi formulé par le concille oecuménique de Chalcedonie", de acuerdo con el *Grand Dictionnaire Universel du XIXe. Siécle* de Larousse, I, "Arménie", pág. 661.
33. Para todo lo relacionado con Azarian, ver Claude Soetens, *Le Congrés Eucharistique de Jerusalem (1893) dans le cadre de la politique orientale du Pape Leon XIII*. Louvain, Université de Louvain, 1977, especialmente págs. 441-446. Ver además "Arménie" en el *Dictionnaire d'Histoire et de Géographie Ecclésiastiques*, dirigido por Msgr. Alfred Baudrillart. Paris, Librerie Letouzen et Ané, 1930, vol. VI, pág. 342.

ellas las referidas al sistema de elección de obispos y cardenales. León XIII abraza esas ideas, poco a poco diluidas por la acción del Cardenal francés que tiene a su cargo la Organización del Congreso. El Pashá no ve con simpatía la posible visita de tantos enviados del Vaticano a Tierra Santa, y Azarian va poco a poco apartándose porque advierte que las diferencias no habrán de resolverse.

El Patriarca Azarian viaja a Roma hacia 1893 y de Roma pasa a París y a Londres, en viajes bastante comentados en la prensa europea, informando a los dignitarios sobre la situación de la Iglesia que representa.[34]

Azarian y Nazarín son nombres casi anagramáticos; Azarian según los grabados, usa barba larga, gorro cilíndrico y sotana talar. La comparación de Belmonte no es pues tan disparatada.

¿Cuál es el sentido que quiere dar Galdós a esa referencia, muy clara para sus contemporáneos? En primer lugar, pone su novela en el contexto de la cuestión religiosa, unida en este caso a la cuestión de Oriente. Evidencia su coincidencia con el propósito de León XIII de unir a las Iglesias en una sola; en última instancia, están separadas sólo por razones rituales o exteriores. Al fin y al cabo, Cristo es, en las vidas que el autor maneja, un producto genuino de las sociedades orientales. Los místicos de tradición occidental quedan atrás y Galdós se abre ahora hacia el judaísmo, el sufismo quizá, y la religión de Zoroastro.

El carácter oriental de Nazarín está indicado constantemente en la asociación que los demás hacen entre su figura y

---

34. Aunque el eco en España parece menor, se cita a Azarian en sueltos periodísticos. En la *Ilustración española y americana*, "Por ambos mundos", 15 de agosto de 1892, se califica a Azarian como profundo conocedor de la cuestión religiosa de Oriente.

la de un bereber o un armenio. Oriental es también la crítica encubierta a los rituales, incluso los de la misa, totalmente ausentes del Cristianismo esencial de Nazarín. La novela plantea, en una palabra, los lugares comunes de las ideas de su tiempo sobre la cuestión religiosa. No es extraño que el paisaje se convierta, como ya lo hemos visto, en un yermo de aire más asiático que europeo: sólo se ven desiertos, ruinas, poblaciones amuralladas, campesinos volcados sobre la gleba, mendigos, bandoleros, enanos deformes. Volver la vista a Oriente es, en última instancia para Galdós, volver a las raíces mismas de la religiosidad española.[35]

Los anacronismos de la novela se explican también como parte del mismo propósito. La figura medieval del caballero Belmonte representa el nuevo espíritu de Cruzada, diplomático más que guerrero, que León XIII sabe despertar alrededor del Congreso de Jerusalén. Todo el Congreso se reduce al final a una peregrinación de las dignidades eclesiásticas europeas al Santo Sepulcro. Los periódicos comentan ese nuevo espíritu de Cruzada, entre ditirambos al Papa y condenaciones a los caprichosos temores del Pachá.

El periplo oriental se completa con Halma, personaje que se parece a Santa Isabel de Hungría, como ella, noble casada con un alemán y dedicada luego a la vida caritativa. Halma ha vivido en Constantinopla, tenía en Pera una humilde casa y durante su viaje de regreso a España sufre peripecias de novela griega: se enferma, se pierde en el mar

---

35. Esta interpretación no niega la posibilidad de que Galdós haya tenido en cuenta la personalidad de Mosén Jacinto Verdaguer en la composición de su personaje, según lo indica Matilde L. Boo en "Una nota acerca de Verdaguer y Nazarín", AG, XIII, 1978. págs. 99-100. La interpretación más cercana a la mía es la de G.G. Minter en el artículo citado; pero identifica el problema como la "cuestión romana" y no como la "cuestion de Oriente".

Egeo, es prisionera del bajá de Smirna, y cae por último en las costas de Malta. Es una mujer errante, dice Galdós; Halma errante que ha experimentado en su propia vida todas las vicisitudes del pensamiento occidental. Ella ha unido, dice la misma protagonista, Troya con Galilea, es decir a Homero con Cristo, Ahora encuentra en España un alma gemela, Nazarín y con él abraza el ieal de la vida sencilla, el amor y de la caridad. Como si Galdós quisiera decirnos que es en España donde aún está viva la esencia de todas las religiones.[36]

Y es en España, porque la España medieval ha sido reino de las tres religiones. En *Misericordia*, según la inteligente lectura de Robert Ricard,[37] se plantea el tema de la tolerancia con el recuerdo histórico de las tres religiones. Benigna representa el Catolicismo, con el mismo espíritu que lo representa Nazarín; Almudena es moro de raza y judío de religión. Los críticos de Galdós han estudiado muy a fondo las características hebraicas del lenguaje de Almudena, de algunos de sus rituales y aún de los valores humanos que simboliza. Sara E. Schyfter, en su libro *The Jew in the Novels of Benito Pérez Galdós*, completa y comprueba la intuición fundamental de Ricard, al estudiar *Misericordia, Gloria. Aita Tetauen* y la serie de *Torquemada*. Exalta un poco exageramente el valor que Galdós confiere al judío, al discutir también la extremada tesis contraria de

---

36. Hadassah Ruth Weiner, en "A Note on Nazarín", AG, XIII, 1978, pág.102 afirma inteligentemente "As a semite, Nazarín is tied to Judaism, to Islam and to primitive christianity".
37. "Peut-etre aussi le grand romancier a-t-il voulu évoquer les temps lointains de l'histoire espagnole aù ces trois religions coexistain sur le sol de la patrie comme elles coexistent en la personne d'Almudena, Juif, Musulman et baptisé.", en "Sur le personage d'Almudena dans *Misericordia*", en su citado libro *Galdós et ses Romans*, pág.63.

Vernon A. Chamberlin.[38] Yo pienso que el sentido profundo de la religión y del amor humano está representado por Benigna. Galdós no llega a simbolizar en el judío la totalidad de esos valores, y en ese sentido Almudena es inferior a Morton, el amante de *Gloria*.

El judaísmo de Almudena se evidencia en dos direcciones. Por un lado, sigue la tradición Talmúdica en sus rezos y rituales celebrados en honor de Adonai. Por otro lado, realiza prácticas mágicas derivadas de la Cábala, en especial del Zohar español.[39] Las creencias de Almudena están teñidas de características populares, lo que hace pensar en la supervivencia de prácticas cabalísticas entre moros de procedencia marroquí aún en el siglo XIX. Galdós conoció, según nos dice en el prólogo de *Misericordia*, el moro que convierte en personaje novelesco. Pero en los elementos más claramente destacables, la información es de procedencia libresca.

Galdós tiene en su biblioteca el libro *Orden de Rosh Ashanah y Kypur traducido en español y de nuevo enmendado y añadido el Keter Malchut y otras cosas*, publicado

---

38. El libro de Schyfter se publicó en Londres, Támesis, 1978; el artículo de Chamberlin que comenta, "The Significance of the Name Almudena in Galdós' Misericordia, apareció en *Hispania*, XLVII, 1964, págs. 491-496.

39. Es un útil y bello libro el de Ariel Bension, *El Zohar en la España musulmana y cristiana. Un estudio del Zohar, la Biblia del misticismo judaico, y del ambiente español en que ha sido revelado, con un breve pero substancioso prólogo de Miguel de Unamuno*. Madrid, Ediciones Nuestra Raza, 1934. Se trata de la segunda edición; la primera debe fecharse alrededor de 1930. La mejor edición completa y anotada del Zohar que conozco es la versión francesa *Sephen ha-Zohar (Le livre de la splendeur), doctrine ésoterique des Israélites. Traduit pour le premiére fois sur le texte chaldaique et accompagné de notes par Jean de Pauly. Ouvre posthume entiérement revue, corrigée et complétée par les soins de Émile Lafuma-Giraud*. Paris, Leroux, 1906-1911, en 5 volúmenes.

en Amsterdam en 5412, según el calendario hebraico. Por suerte, yo he encontrado en las *Colecciones especiales* de la Universidad de California en Los Angeles una versión posterior de ese mismo libro, según creo, *Orden de las oraciones de Rosh Ashanah y Kipur. Nuevamente traducidas, conforme al genuino sentido del original hebraico, por estilo corriente y fácil con todos los pizminin que se dicen.* En el libro aparece también incorporado, aunque no se diga en el título, el Keter Malchut; ha sido publicado en Londres en 5500, es decir, 1740. El autor se llama Yshac Nieto y aunque se afana en celebrar en el prólogo la perfección de su español, resulta indudable de que se trata de un sefardita cuya lengua repleta de arcaísmos y de deformaciones pintorescas recuerda muy de cerca la de Almudena. No hay duda de que Galdós ha tenido en cuenta ese lenguaje cuando ha creado el de su personaje, porque en la obra de Nieto y en las palabras de Almudena se destaca una frase común. Dice Nieto en su versión: "La voz de Adonai hace adoloriar ciervas y hace descubrir montes" (387) y Galdós repite en boca de Almudena: "La voz de Adonai face adoloriar ciervas" (NIII, 761).

En el libro de Nieto aparece el nombre de Mordejai en su versión antigua, Mordehai, personaje del libro de Esther, y sobre todo una detallada descripción de los rituales talmúdicos. Es muy vívida la caracterización de las hierbas aromáticas utilizadas en los sahumerios, entre ellas el benjui, que Almudena vuelca sobre el fuego no directamente del papel en que lo envuelve sino a puñaditos. Dice Nieto: "Y tomarás el Brasero llenos de Brasas del Fuego, de sobre el altar de delante Adonai y sus puños llenos de Sahumerio molido, y meterás del velo adentro" (81). De inmediato, después del Sahumerio, Almudena recita las palabras del Shema, haciendo los movimientos rituales más característicos: "no haber más que un Dios...; un Dios, un Dios solo, solo" (NIII, 698), "tapándose un ojo con cada mano y bajándolas después sobre la boca para besárselas" (NIII, 697).

Pero hay otros elementos en los rituales de Almudena que tiene origen distinto. Los conjuros para acercarse al Dios de la *baxo tierra*, a Samdai, al que Benigna con razón considera un demonio, son de índole mágica: el trazado de círculos, el uso de la vara adivinatoria, la formación de un *golem* o muñeco de barro y ocasionalmente de madera, el escribir en un papel el tetragrama o palabras cabalísticas, el dejar librado al azar del viento el señalamiento del lugar en que está oculto el tesoro. Como es sabido, Samdai es la versión del moro del Shaddai, derivado de Ashemedai o Asmodeo, asociado tradicionalmente con el rey Salomón. El séquito real que acompaña sus visiones, y que Benigna compara con el de los Reyes Magos, es prototípico de la tradición salomónica.[40]

Galdós además asocia magia con hebraísmo; la hechicera que practica la cartomancia en *Cánovas* utiliza en su adivinación palabras hebraicas.

Pienso que Galdós tiene también cierta familiaridad con aspectos fundamentales el Zohar. En *Casandra*, el personaje de Zenón afirma lo siguiente:

> Alfonso se alegrará cuando yo le diga que soy hombre fuerte en la Cábala, que sé manejar los signos y las combinaciones de iniciales que nos

---

40. Ver el relato de la leyenda salomónica en el Talmud, en The *Babylonian Talmud*. Seder Nashim, traducido y anotado por el Dr. I. Epstein. London, Soucino Press, 1936, vol. VII; *Gittin*, traducido por Maurice Simon, págs. 67B-69A. Chamberlin, en "The importance of Rodrigo Soriano's *Moros y cristianos* in the creation of *Misericordia*" (AG, XIII, 1978, págs. 106-109), puntualiza en las notas la relación entre Samdai y Asmodeo.

dan la clave del porvenir. Mi ciencia del "Bereschit" y el "Mercara" (sic) me dice que doña Juana se extinguirá en la semana entrante.

Como se sabe, el Bereschit y el Mercava, no Mercara, son las dos partes en que se divide la Cábala; la explicación del mundo espiritual o de las esencias y las del mundo real o de la conformación de esas esencias, que incluye la demonología. Almudena conjura las potencias celestes más altas, pero también las de la tierra baja. La visión interna que ha tenido en su juventud de una mujer única a la que luego busca en la tierra responde a la concepción del Zohar de que en el ser esencial lo masculino y femenino logran completa integración, pero al ser éste conformado en avatares más bajos, anda a la busca de esa integración perdida. Los esponsales son los que Almudena sueña son réplica de los esponsales místicos del Zohar, en los que se utilizan reiteradamente los versos del *Cantar de los Cantares* como lo hace Almudena.[41]

En *Misericordia*, la integración entre el mundo superior o soñado y la realidad mezquina, logro milagroso o mágico, se realiza con la aparición de don Romualdo, el personaje inventado por Benigna. Pero es en verdad triunfo de Almudena, ya que Benigna, como Sancho Panza, se ha ido poco a poco convenciendo de la sinrazón de su compañero de aventuras. El ciego ve por dentro y hace realidad sus visiones. El espíritu y la materia, separados en la concepción del ascetis-

---

41. Véase sobre este particular el Chapitre V, "Surte de l'Analyse du Zohar. Opinion des kabbalistes sur l'Ame humaine" del libro de A.D. Frank, *La Kabbale ou la Philosophie Religieuse des Hébreux.* Paris, Hachette, 1889, págs. 180-182 y sobre todo el Chapter 3, "Kabbala and Myth", de Gershom G. Scholem, *On the Kabbalah and its Symbolism.* New York, Schicken Books, 1965, págs. 104-109.

mo, se integran ahora y abren las posibiliades de la utopía, abierta hacia un mundo futuro donde desaparecerán las fronteras entre las religiones distintas, en la medida en que lo religioso se tornará más esencial. España volverá a ser, lo es ya en *Misericordia*, la Jerusalén prometida para moros, judíos y cristianos.

El elemento cabalístico de *Misericordia* indica un nuevo interés de Galdós por la demonología. Hasta entonces, los demonios de Galdós derivan de fuentes españolas, de *Las zahurdas de Plutón* de Quevedo, imitadas en *Torquemada en la hoguera* o del *Diablo cojuelo* de Velez de Guevara, al que Lesage devuelve el nombre de Asmodeo.[42] Los modelos para la descripción de esos demonios provienen de Quevedo o de las imágenes plásticas de Goya. Con Samdai, Asmodeo retoma su origen semítico y se despoja de la vestidura española. En *Casandra*, el poder profético de la pitonisa griega pasa a Zenón, el Cínico y a Rogelio, el demonólogo. Ambos se encargan de dar nombres de demonios a los demás personajes y a sus actitudes. Clavería, muy interesado por destacar los valores imaginativos de la obra de Galdós, supone ese interés por los demonios como una supervivencia romántica.[43] Sin embargo, parece más claro advertir que demonología y misticismo son

---

42. Sobre la caracterización de Asmodeo dentro de la tradición demonológica, ver el Chapitre I de *Le Diable Boiteux*, en *Oeuvres de Le Sage avec una Notice par M. Anatole France*. París, Librarie Alphonse Lemerre, 1878, págs. 5-14.

43. Carlos Clavería, "Galdós y los demonios", en *Homenaje a J.A.Van Prag*. Amsterdam, Librería Española "Plus Ultra", 1956, págs.32-37. Ver además Gustavo Correa, "El diabolismo en las novelas de Pérez Galdós", en *Bulletin Hispanique*, XLV. 3-4, 1963, págs. 284-296. Correa proporciona una clasificación de los demonios galdosianos, según lo que a su juicio representan, y unas interesantes notas marginales sobre demonología en escritores como Balzac y Dostoievsky.

las dos caras de un mismo fenómeno, que por igual interesa entonces a teólogos y a médicos psiquiatras. Místicos y endemoniados pueblan del mismo modo los salones de la Salpêtriére. M. Bataille, en el libro citado en el capítulo anterior, describe con conocimientos directo las extendidas prácticas demoníacas en el Palladio masónico y en los ritos teosóficos y espiritistas. León XIII, en la Encíclica *Humanum genus* condena prácticas similares.

Galdós utiliza extensamente un atractivo libro que figura en su biblioteca, *Le Diable. Sa grandeur et sa décadence*, escrito por J.M. Cayla y publicado en París, 1864. Clavería es el primero en aprovechar el libro. De ese libro extrae Galdós la mayor parte de su información sobre demonios. Baalberith, al que denomina "diablo de los archivos y las leyes, secretario general del infierno", es en el autor francés "Archiviste des enfers et sécrétaire général des grands démons" (162); en la obra francesa se reproduce un documento usado por la Inquisición en relación con el caso de las monjas de Loudun que firman varios diablos, y al final, como en las actas de los mortales, Baalberith en su calidad de Secretario (338-339). Thamuz, "diablo que inventó la Inquisición" aparece en Cayla como "inventeur de l'artillerie et de l'Inquisition" (180); en él se lee también otro atributo de importancia que Galdós no aprovecha: es el embajador de los demonios en España. Caym es el diablo tutelar de Rogelio; Galdós dice que ese demonio habitó el alma de Lutero y sostuvo con él disputas teológicas. Su voz, agrega, se oye en la Naturaleza, en el canto de los pájaros, en el ruido de los huracanes, en el ladrido de los perros. Según Cayla, "Luther parle trés longuement dans ses écrits de la dispute qu'il soutien contre Caym et de la peine qu'il eut á rétorquer ses arguments... Il explique le chant del oiseaux, le bruit del flots, le aboiement des chiens" (168-169). Minoson, diablo que según Galdós da la ganancia en los negocios de préstamo y atormenta a los deudores tramposos, es en el libro francés "démon (que) fait gagner á toutes sortes de jeux" (175). Y por último Succot-Bénoth, que aparece en Galdós como Sucot-Berith, diablo de la envidia, los celos, la avaricia, el egoísmo, protector además de los eunucos, de la esterilidad, que vive condenado a odiar el amor y a maldecir el matrimonio, se describe en Cayla como "démon de la jaluosie, de verroux et des grilles. Succot, dit Wierius, est chef des eunuques du sérail de Belzébuth, il protége les maris jallous et llur enseigne les moyens de découvrir les ruses e leur femmes" (180). El nombre de otros demonios, a los que Galdós cita sin decir sus atributos, aparece también en Cayla, como Belphegor, Belfegor en Galdós, que protagoniza un cuento de Maquiavelo y es el demonio embajador en Francia.

Aunque ésta es la única fuente identificada, no agota las lecturas de Galdós sobre demonología. Hay en él demonios hindúes como el de Jaggrenat, descripto de manera muy curiosa, pues en vez de ser el ídolo negro de fauces ensangrentatas tiene color verde y características del animal diabólico del Zohar, el cocodrilo. Del mismo fondo derivan otros demonios hindúes, como un acólito de Vishnú de 3 cabezas, 6 ojos y 24 manos. Existen también diablos de la religión de Zoroastro, como Baal, demonio clásico, según Galdós que habla, como los clásicos, un lenguaje limpio y sonoro. A Moloch lo llama, sin mucha justificación, diablo simpático y bueno, quizá por ser demonio de las lágrimas. Astarté, la Venus fenicia, es diablesa casada con el gran demonio Astaroth: en Cayla, "Diablesse, femme d'Astaroth. Astarté était la Vénus des ancients peuples de la Phenitie" (180).

Algunos atributos de los demonios que Galdós cita no aparecen en ninguna de las fuentes más conocidas. ¿De dónde obtuvo la imagen de Baalberith como sebastocrátor, en figura de pájaro mojado con lengua de oro y uñitas de marfil? El diablo Naasenti, que según Galdós enseña cómo se hacen los huevos con agua clara, ¿tendrá que ver con los Naasentes, secta judía que practicaba la oomancia o adivinación por medio de huevos que arrojados al agua forman caprichosas figuras?[44]

El demonio máximo del Zohar, Samael, aparece en Galdós con las características habituales: es la gran serpiente que sedujo a Eva. Según algunas fuentes, se lo identifica a veces con Asmodeo. En el Zohar se indica que Samael engendró con su veneno a Caín, y esa es en general la versión de los demonólogos. Galdós trae otra, que de Samael y Eva nació una diablesa, Decaberia.[45] Esa Decaberia es el diablo de los celos y los rencores de mujer a mujer; atributos que suelen conferirse a Naome, hermana de Cain. Debe ser diablo cabalístico; como otro que también cita Galdós, Vorac (que es en verdad Volac) diablo niño que habita las entrañas femeninas y no nace nunca. Lo único que de él dice Cayla es que "il se monstre sou la forme d'un enfant" (181). En todos estos últimos casos indicados se trata de íncubos o de súcubos relacionados con el amor.

Hay aún mucho campo que deslindar en la demonología de Galdós. Pero quizás sea más importante que identificar las fuentes considerar qué función tiene esta demonología como culminación de su pensamiento religioso. Esos diablos pueden reducirse a lo que en general representan: la sequedad del alma, la esterilidad, la intransigencia, la falta de amor. Las que solían considerarse virtudes desde la perspectiva de la filosofía ascética se han convertido en desvalores. Doña Juana en Casandra merece la muerte por su intolerancia

---

44. Cayla define la "Comancia" en pág. 272.
45. Bataille cita a un demonio de nombre parecido, "Decarabia", como general de una de las legiones infernales. Ver su *op.cit.*, I, pág. 908. La identificación de este demonio y de los que no aparecen en Cayla podría ponernos en presencia de una directa fuente de Galdós.

disfrazada de espiritualidad, por su falta de calor humano encubierta en el respeto a instituciones falsas. Doña Juana es el compendio de los males que los demonios representan. Todos esos males quedarán luego reducidos al diablo del mal por excelencia, a Arimán. que en *La razón de la sinrazón* se hunde para siempre de nuevo en los infiernos. La religión de Cristo ha engendrado un Anticristo nietszcheano (Dios "está chocho de imbecilidad", se dice en *Casandra*). Pero cuando Arimán desaparece, nace de nuevo la esperanza, el triunfo de la sinrazón, la España Nueva.

6. LITERATURA PASTORIL Y ÉGLOGA REALISTA: GALDÓS Y PEREDA

6. Literatura pastoril y égloga realista: Galdós y Pereda

I. Un solo texto de la literatura pastoril española aparece transcripto en las obras de Galdós. Se trata de la *Representación Séptima* de Juan del Encina en el capítulo IX de *El caballero encantado* (1909). Tarsis y el personaje denominado *la Madre* mantienen allí un extenso coloquio hasta que llega la noche; siguen entonces el resplandor de una hoguera y se encuentran con un grupo de pastores que se disponen a comer un cordero. Los pastores, que llevan los mismos nombres que los de ésa y otras Representaciones (Blas, Mingo, Rodrigacho), rodean a *la Madre* y le cantan el villancico que en del Encina comienza así:

> Dime pastor por tu fe,
> ¿qué es lo que tú le dirás
> o con qué la servirás?[1]

---

1. Cito por la edición de Rosalie Gimeno, *Obras dramáticas (Cancionero de 1446)*. Madrid, Ediciones Itamo, 1974, pág. 115. Juan Bautista Avalle Arce, en *La novela pastoril española*. Madrid, Revista de Occidente, 1959, trata brevemente la relación entre la pastoril renacentista y la obra de Galdós.

Galdós modifica el villancico de cierta manera; no creo que las diferencias con respecto al texto que manejo se deban al uso de una edición distinta. Inventa un primer verso, "¡Victor la Madre querida" para que quede enlazado por la rima con el verso siguiente, significativamente cambiado: en del Encina, "Dime pastor *por tu fe*"; en Galdós, "Dime pastor *por tu vida*". Esa pregunta indirecta está en boca de Escudero en Juan del Encina; en Galdós, en boca de Sancho. El villancico, en la *Representación*, es cantao por un solo personaje, Mingo, mientras que en Galdós se distribuye entre Rodrigacho, Blas y Mingo. Galdós reduce el texto de del Encina eliminando la primera estrofa (vs. 116-120), la segunda parte de la segunda estrofa (vs. 125-129), toda la tercera estrofa (vs. 129-136) y la mitad de la quinta (vs. 149-152). En todos los casos se eliminan de la enumeración nombres de ropas, de frutas, o expresiones de difícil reconocimiento para un lector moderno, que sonaban a Galdós como anticuados y en desuso. En la misma novela, en el capítulo XIII, Rodrigacho canta versos de la *Oración a Venus* de la *Egloga de Plácida y Vitoriano*, también de del Encina (vs. 1201-2302), ahora sin modificación alguna.

Luego veremos con más detalle el sentido de la ficción pastoril en *El caballero encantado*. Por el momento importa destacar esta preferencia de Galdós por la égloga realista de Juan del Encina y su deliberado olvido de tantos otros textos de la literatura pastoril, especialmente de novelas, que pudo haber utilizado también.

Galdós, como todos los realistas europeos desde Balzac, debió pensar en la incorporaciión a su friso novelesco del mundo campesino, observado con el mismo criterio de realidad que el mundo urbano. Balzac, y los escritores europeos del género conocido en Alemania como *Bauernroman* y como *roman rustique* en Francia, habían representado ya la vida campesina sin las idealizaciones propias de la pastoril renacentista, la pastoril neoclásica, y los idilios más cercanos de Gessnner y de Goethe.[2] La diferencia entre la visión idílica del campo y la realidad se debate en España en 1866, cuando Antonio de Trueba, autor de idilios vascos, critica el realismo rural de Pereda, en el prólogo a las *Escenas montañesas*. Las frecuentes comparaciones entre ambos escritores en reseñas periodísticas y en artículos críticos de la época, sirven para destacar las contribuciones de Pereda al *roman rustique* español. En un trabajo más reciente, se ha observado en obras de Pereda características muy parecidas a las del *verismo* de Verga, réplica italiana al idilio romántico.[3] En ese contexto, Juan del Encina debió significar, no sólo para Galdós, un precedente clásico del realismo de Pereda. Galdós lo escoge además porque en del Encina existían ya configuradas la alegoría pastoril con sentido trascendente y la parodia irónica de la pastoril clásica: ambas figuraciones calzan perfectamente con el propósito y la forma de *El caballero encantado*.

La lectura de del Encina debió ser sin embargo una experiencia juvenil de Galdós. Ya desde 1864, había manifestado su crítica al idealismo pastoril: en el escrito "El sol", aproximadamente de ese año, enuncia el siguiente juicio con ecos todavía de "El pastor Clasiquino" de Espronceda:

> ¡Oh, pastoril Arcadia! has muerto ya, pero vives todavía en las férvidas fantasías de nuestros modernos pedantes.[4]

---

2. Véase al respecto el libro de Rudolf Zellweger, *Les débuts du Roman rustique. Suisse. Allemagne. France. 1836-1856*. Paris, E. Droz, 1941.

3. John Akers, *José María de Pereda and the Craft of Literary Regionalism*. Tesis de doctorado que dirigí en la Universidad de California, Los Angeles, 1962, págs. 14 y 19 (nota 21).

4. "El sol", en Berkowitz, "The Youthful Writings of Pérez Galdós", en *Hispanic Review*, 1, 2, abril 1930, pág. 113.

Cuando en Madrid escribe algunos años después su primera novela, *La Fontana de Oro*, Galdós huye deliberadamente de la descripción de la vida campesina. Clara va a Ateca en busca de salud y encuentra el amor; ese retiro paradisíaco merece tan sólo un tratamiento genérico: lugar de "cielo hermoso", de "aire puro", en el que la heroína vivió "felices y no monótonos días" y "sosegadas y apacibles noches" (N I, 39). Como contraste, se aprovechan otros momentos para parodiar o juzgar indirectamente las ficciones pastoriles. En el capítulo "La batalla de Platerías", Galdós, llevado quizá por el nombre de Gil Carascosa, amante de doña Leoncia, nos hace asistir, algo forzadamente, a una escena de tocador. Doña Leoncia se acicala y aunque se trata de una escena de interiores, la Naturaleza incide con la luz y el viento en el afeite matinal:

> El sol y doña Leoncia aparecieron con igual esplendor de hermosura en las primeras horas del siguiente día. La patrona, dejando las ociosas lanas, dió principio a su tocado...Después de dar al viento la poca abundante cabellera, comenzaba a tejer un moño, que, a no recibir el refuerzo de unos hinchados cojinillos, no sería más grande que un huevo... (N I, 63).

Entre las pastoras que de parecido modo se arreglan el pelo en la literatura renacentista y esta ama de pensión, rolliza y de carácter fuerte, existen diferencias muy notables. Lo extremado de los términos de la comparación hacen más evidente la ironía. Pero lo importante es advertir que Galdós apela a la cultura del lector capaz de reconocer tópicos (la comparación del sol con la dama), frases ("dar al viento la abundante cabellera", ahora poco abundante) y palabras como los adjetivos de "ociosas lanas" (ociosas plumas en el *Quijote* I, II), "hinchados cojinillos". En la misma novela, el perro de Salomé lleva como nombre Batilo en recuerdo de "las lucubraciones mitológicas y pastoriles de los poetas que en el tiempo de la Chinchón le obsequiaban con sus versos" (N I, 78). Esa pareja de términos mitológicos y pastoriles tendrá luego importancia cuando en novelas posteriores desarrolle Galdós su pensamiento todavía algo oculto.

Pero frente a las convenciones literarias, y por debajo de ellas, está la realidad del campo y el modo de observarla. Galdós decide confrontar el estudio de esa realidad en los años siguientes a *La Fontana de Oro* y antes de hacerlo intensifica sus lecturas de aquellos autores españoles más cercanos a la visión realista que se propone. No Antonio de Trueba, claro está, pero sí Juan del Encina, Fernán Caballero y Pereda. En 1869, publica en la Revista de España sus comentarios sobre la obra de Fernán Caballero y de Pereda en el contexto más amplio de sus observaciones sobre la novela moderna:

> El primero ha pintado la buena gente de los pueblos de Andalucía con suma gracia y sencillez, retratando la natural viveza y espontaneidad de aquella noble raza. Sólo se bastarda y malogra su ingenio cuando quiere salir del breve círculo del hogar campestre. Fernán Caballero cae por tierra desde que quiere elevarse un poco, y nada hay más pobre que su criterio, ni más triste que su filosofía bonachona afectada de una mogigatería lamentable. Pereda es un pintor muy diestro: sus *Escenas montañesas* son pequeñas obras maestras, a que está reservada la inmortalidad. ¡Lástima que sea demasiado local y no procure mostrarse en esfera más ancha! El realismo bucólico y la extraña poesía de que sabe revestir a sus interesante patanes, no pueden realizar por completo la aspiración literaria

de hoy. Es aquello muy particular, y expresa una sola faz de nuestro pueblo. En un horizonte más vasto, aquel ingenio tan observador y perspicaz haría cosas inimitables satisfaciendo esa secreta aspiración de toda gran sociedad a manifestarse en forma artística, produciendo una expresión o remedo de sí misma.[5]

Hacia esas mismas fechas, Galdós –envuelto ahora en serios estudios literarios que determinarán el rumbo de su obra futura– expresa su desprecio por las fantasías pastoriles de los cortesanos de la época neoclásica:

> Todo era allí convencional y según las amaneradas formas de la poesía italiana: los académicos y las académicas se inclinaban naturalmente al idilio, el género femenino por excelencia... Todo se hacía en forma pastoril, y allí, en los salones, no en los prados; en los tocadores de las condesas, no en los huertos y selvas, fue donde más se fomentó la empalagosa y relamida poesía pastoril, que vivió en todo aquel siglo hasta las puertas del presente, animada con nueva savia por el talento de Meléndez (N III, 1233).

En la corte de Carlos IV recrea ese mundo convencional y achaca a los franceses el interés por los idilios campestres. Los personajes de la novela adquieren nombres pastoriles como Amaranta y Lesbia.

---

5. Sobre estas observaciones de Galdós con respecto al realismo social, basa Victor Fuentes, siguiendo la línea trazada por Madeleine de Gogorza Fletcher, "Galdós in the Light of Lúkacs' *Historical Novel*", AG, I, 1966, págs. 101-105, la idea de aplicar a Galdós el análisis del realismo de Lúkacs. ("Notas sobre el realismo de *Observaciones sobre la novela contemporánea en España*", AG. X, 1975, págs. 123-126).

En 1871, aparece *Tipos y paisajes* de Pereda, obra que Galdós lee con entusiasmo. Desde entonces data la amistad entre ambos escritores:

> Conocí a Pereda hace once años, cuando había escrito las *Escenas montañesas* y *Tipos y paisajes*. La lectura de esta segunda colección de cuadros de costumbres impresionó mi ánimo de la manera más viva. Fue como feliz descubrimiento de hermosas regiones no vistas aún, ni siquiera soñadas. Sintiéndome con tímida afición a trabajos semejantes, aquella admirable destreza para reproducir lo natural, aquel maravilloso poder para combinar la verdad con la fantasía, y aquella forma llena de vigor y de hechizo, me revelaban la nueva dirección del arte narrativo, dirección que más tarde se ha hecho segura e invariable, obteniendo al fin un triunfo en el cual ha llevado su iniciador parte principalísima. Algunos de tales cuadros, principalmente el titulado *Blasones y talegas*, produjeron en mí verdadero estupor, y esas vagas inquietudes del espíritu que se resuelven luego en punzantes estímulos o en el cosquilleo de la vocación (N III, 1204).

No creo que deba pasarse por alto un texto de tanta importancia. Aunque los recuerdos de Galdós adolecen de falta de exactitud, en lo que a datos se refiere, el desmemoriado autor no lo es en absoluto cuando se trata de recordar impresiones. Aquí nos hace asistir al nacimiento casi de su vocación, tras los primeros pasos, aunque valiosos algo inciertos. Galdós reconoce constantemente su deuda con Pereda, y ello nos obliga a seguir las huellas, un poco disimuladas, de las lecturas que menciona. Yo no creo casual que desde 1873 las escenas campesinas de los *Episodios Nacionales* vayan cobrando mayor extensión y un más fino tratamiento de detalles. La descripción de la Mancha, en *Bailén,* parece demostrar un conocimiento directo, y reciente además, del lugar. Se simboliza en la Mancha el campo español carente de "obras humanas que representan el positivismo, el sentido práctico" (E I, 473). En *Gerona*, de ese mismo año, Galdós incorpora indirectamente un típico idilio romántico. En un dramático momento del *Episodio*, don Pablo Nomdedóu agoniza; en su afiebrado delirio abraza a su hija y le recuerda las bellezas de la huerta de Castellá, adornada de pimientos verdes, rojos tomates y pintadas peras y melocotones. Los animales tienen nombres, como la gallina Pintada; Dioscórides, el burro de Nostramo, y la vaca Esmeralda. Desde el cálido y acogedor establo, se observa la llegada de la noche, "tranquila", "dulce", "grave", "amorosa" y "callada":

> Ya vienen los labradores del trabajo. Con qué gusto alargan los bueyes su hocico adivinando la proximidad del establo! Oye los cantos de esos gañanes y de esos chicos, que vuelven hambrientos a la cabaña. Ahí los tienes. Mira cómo rodean a la abuela, que ya ha puesto el puchero a la lumbre. El humo de los techos, formando esbeltas columnas sobre el cielo azul, discurre luego, y vaporosamente se extiende a impulsos del suave viento que viene de la montaña a jugar en las copas de estos verdes olmos, de estas obscuras encinas, de estos lánguidos sauces, de estos flacos chopos, cuyas hojas brillan con las últimas luces de la tarde... (E I, 827).

En ese atardecer, y en la noche que le sigue, Galdós describe un *locus amoenus* con reminiscencias de los clásicos latinos, de Leopardi más cercamente y sobre todo de Lamartine que recrea el tópico del establo, espacio protector en que la vaca, madre pródiga, proporciona alimento y calor. Este delirio, en medio de fragor de las bombardas y del incendio, ha servido, como el escudo en Homero, para traer a la guerra un recuerdo de los tiempos de paz. A fines de 1874 aparece *Cádiz*, novela en que Galdós vuelca, más que en las anteriores, la experiencia de sus lecturas: Cervantes aparece en la presentación del esperpéntico don Pedro de Congosco; el bachiller Fernando de Rojas en la creación de Alacrana, moderna Celestina; Fernán Caballero, en la pintura de la vida social gaditana y Pereda en la descripción de tipos característicos. La mención de la tertulia de Paquita Larrea sirve de buen pretexto para insertar como un medallón otro comedido elogio de Fernán Caballero (E I, 899).

Creo interesante indicar que es ésta la primera novela de Galdós en que observan indicios de imitación de Pereda. Los personajes populares, como Lombrijón y Vejarruco, que beben en la casa de Poenco, cerca de la Puerta de Tierra, poseen, además de la figura, un lenguaje que los caracteriza. Galdós se esfuerza por reproducir el habla del puerto gaditano, sobre el modelo del habla santanderina de personajes como el de *"El raquero"* de Pereda: se extiende así en escenas que no tienen otra finalidad, dentro de la economía del relato, que proporcionar un toque regionalista: términos como *oigasté, camaraíya, Miloro, pegar un pezco, regolver, alentaíto*, etc. se incorporar a un diálogo animado y rápido, lleno de exclamaciones también características como ¡*Zorrongo*!, ¡*carambita*!, ¡*cachirulo*!, ¡*sonsoniche*! Equivalen, en Pereda, a aónde, mistó, medio chulé. anisao, chapar al vuelo y a la cantidad de exclamaciones que dan también en él agilidad al diálogo, como ¡*Arria en banda*!, ¡*Atízale*!, ¡*Aprieta*!, ¡*Quiá*!, típicas del lenguaje de los pescadores y aldeanos de las *Escenas montañesas*. Galdós habla pues de su propia experiencia cuando en el discurso de entrada a la Real Academia dice con su acostumbrada parquedad y exactitud que Pereda enseñó el uso de un diálogo natural aunque artístico a los jóvenes que sólo tenían entonces como modelo el alambi-

cado diálogo de los clásicos o la vulgar transcripción perio-
dística. El mismo aprendió en la lectura de los primeros
libros de Pereda la técnica de pintar la psicología del personaje a través de su uso de clichés verbales. Estos andaluces
de *Cádiz* son los antepasados del Izquierdo de *Fortunata y
Jacinta*, por el desgarro de la actitud, la pretensión política y,
sobre todo, las características del lenguaje.

En los casos indicados, la pintura del campo o de tipos de
algún modo relacionados con actividades rurales, es tan sólo
accesoria. Pero en 1876 decide Galdós finalmente emprender
la tarea de describir la vida del campo español y extiende esa
preocupación hasta 1878. Las tres importantes novelas de
esos años. *Doña Perfecta*, *Gloria* y *Marianela* constituyen en
cierto modo tres novelas rústicas, tres antiéglogas al modo
del *Bauernroman* alemán. Todas ellas tienen como referencia más o menos implícita los idilios campesinos clásicos
y modernos con lo que se confronta una realidad exageradal-
mente cruel. En *Doña Perfecta* el personaje de Pepe Rey vive
en su propia experiencia el contraste entre el *idilio* y la
realidad. Su ida a Orbajosa es impulsada por el hastío de la
vida urbana y la consiguiente búsqueda de un retiro horacia-
no. Con palabras que recuerdan a Horacio y a Fray Luis,
Pepe Rey lo explica de esta manera:

> Nadie aborrece más que yo las falsedades y come-
> dias de lo que llaman alta sociedad. Creen ustedes
> que hace tiempo que deseo darme, como decía no
> sé quien, un baño de cuerpo entero en la Naturale-
> za, vivir lejos del bullicio, en la soledad y sosiego
> del campo. Anhelo la tranquilidad de una vida sin
> luchas, sin afanes, ni envidioso ni envidiado, co-
> mo dijo el poeta (N I, 429).

En el transcurso de su permanencia en Orbajosa, descubre en cambio la realidad económica, social y política del

campo. Es significativo que Galdós huya de una geografía concreta y en su afán de describir lo que él llama la "geografía moral" de España tienda a la generalización y pierda la oportunidad de estudiar las correlaciones reales de la vida del campo. Doña Perfecta a una terrateniente, cualquier terrateniente, con dominio sobre tierras y seres; representación todavía herderiana de un espíritu colectivo, religioso y al mismo tiempo político; es, además, protectora de la iglesia, de los caciques de turno y aún de los grupos alzados en defensa del carlismo. Contra ese poderoso muro de intereses y de creencias se estrella el idealismo de Pepe Rey, de signo contrario al idealismo de doña Perfecta. Galdós no advierte que en su afán de apartarse de la visión idealizadora, cae en el idealismo opuesto al exagerar caricaturescamente los aspectos que convienen a su tesis. La opinión el joven Rey, de que han terminado ya, por influjo de las ciencias, las mitologías de todo tipo, paganas o cristianas, es también la opinión de Galdós desde 1864. Pero lejos de demostrarlo, su novela parece precisamente confirmar lo contrario.

La abstracción del planteo y la falta de una locación geográfica concreta contribuyen a la pintura, también abstracta y genérica, de los caracteres. Monumental figura la de doña Perfecta, pero carente casi de realidad humana. Pepe Rey y Rosario constituye seres opacos que se agotan en el símbolo de lo que representan y ni saben comunicar emociones ni sienten auténticamente. Lo que la novela tiene de notable es cierta dimensión dantesca, escultórica, más propia de la tragedia que de la narrativa.[6]

6.   Sthephen Gilman,"Novel and Society; *Doña Perfecta*", AG, IX, 1976, págs. 15-27, ve el conflicto de la novela como propio de una narrativa trágica. Anthony N. Zahareas discute aspectos de esa interpretación y de otra similar expresada por Rodolfo Cardona en la "Introducción" a esa novela, Nueva York, Anaya, 1975, págs. 15-41, en su abarcador estudio "Galdós' *Doña Perfecta*: Fiction,

Los personajes secundarios como el tío Licurgo y Caballuco son tipos costumbristas vistos desde afuera y carentes también de interioridad. Galdós repite en Licurgo el procedimiento de caracterizar al tipo por el lenguaje, pero en vez de hacerlo con regionalismos reconocibles recurre a la más fácil fórmula de hacerlo repetir, como Sancho, retahilas de refranes. Pereda está presente en la novela por el nombre de doña Perfecta que copia el de don Perfecto, cura ideal de "Las brujas" en *Tipos y Paisajes* y por actitud antibucólica del novelista. Intenta Galdós reproducir en el modo en que los personajes ajustan su pensamiento a la palabra, los matices de la mentalidad campesina, también reflejados en los caracteres de Pereda, pero fracasa en ese intento. Pereda recibió bien la novela de Galdós, pero con ciertos reparos ideológicos.[7] En *Gloria*, Galdós va a intentar rendir su más serio homenaje a Pereda, sin prever la reacción negativa de su admirado amigo.

La Ficóbriga de *Gloria* presenta más elementos reconocibles en su topografía y en lo que se cuenta. Su paisaje entre

History and Ideology", AG, XII, 1976, págs. 23-58, especialmente pág. 57, nota 7.

7.   En las cartas a Galdós sobre *Gloria*, Pereda habla con elogio de los *Episodios Nacionales* y de *Doña Perfecta*. Ver José María de Cossío, *La obra literaria de Pereda. Su historia y su crítica*. Santander, 1934, págs. 133 y 141. Sobre la relación Galdós y Pereda hay muchas referencias aisladas en la obra de Shoemaker, passsim, en la presentación que hace Carmen Bravo-Villasante de "Veintiocho cartas de Galdós a Pereda", *Cuadernos Hispanoamericanos*, 250-252, 1970-1971, págs. 9-51; en el artículo de Salvador García Castañeda, "Galdós en Santander: Sus colaboraciones en La Tertulia y en la revista *Cántabro-Asturiana*. (1876-1877)", en AG, XIV, 1979, págs. 125-129 y en el de José Manuel González Herrán, "Pereda y Galdós en Santiago de Compostela en mayo de 1885", en *Cuadernos de Estudios Gallegos*, XXXII, 96-97, 1981, págs.499-511.

montañés y marino, sometido a violentos cambios de temperatura y a inesperadas galernas, coincide perfectamente con el paisaje de Pereda. Clarín creyó ver en la crítica de Pereda a la novela una burla con respecto a esa descripción; burla que cuesta reconocer.[8] Pero no sólo hay similitudes en la pintura del ambiente; Galdós se demora en el detalle concreto cuando se trata de caminos, de puentes y de edificios. Una de las maravillas de *Gloria* es para mí esa detallada descripción que parece anunciar el arte de Clarín en *La Regenta*. El planteo fundamental, la idea que se novela, sigue siendo abstracta; pero el mundo, los edificios, los objetos y hasta el paisaje del que no se habla demasiado adquieren una concreción realista ausente hasta entonces en la obra de Galdós. La casa en que habitan los Lantigua está descripta con la minuciosida y con el decoro artístico con que Pereda describe la casa señorial de Robustiano Tres-Solares, en "Blasones y talegas". Hasta los nombres se utilizan de parecida manera como modo de definir actitudes: Robustiano Tres-Solares defiende sus blasones y su casa solariega como Lantigua sus ideales provenientes de un ilustre pasado. El cura don Silvestre molestó a Pereda, por lo que de perediano hay en su naturaleza.[9] Montañés agreste y rudo, astuto, alegre, trata los asuntos religiosos con bonhomía y terrenal sensatez. Amari-

---

8. "Lo único que sobra en aquel primer capítulo es que nos dice cómo era la Hoz en una noche de tempestad; es cierta alusión mal encubierta a otros novelistas que, con valer Pereda lo que vale, valen mucho más que él...", dice descortesmente Clarín refiriéndose a la crítica de Pereda sobre la novela. El párrafo aparece en "De tal palo tal astilla", *Solos* de Clarín, Madrid, Alianza, 1971, págs. 319-320.
9. Como "cura cerril y bárbaro" lo califica en la carta a Galdós (Cossío, op. cit., pág. 136) y como "cura bárbaro y desalentado" en la que dirigió a Menéndez y Pelayo, *Epistolario de Pereda y Menéndez y Pelayo ordenado por María Fernanda de Pereda y Torres Quevedo y Enrique Sánchez Reyes*, Santander, 1953, pág. 21.

llo, el codicioso campesino que rivaliza con la rancia nobleza de Lantigua, refleja casi punto por punto la psicología positivista de Toribio Mazorcas o Zancajos, rival del de Tres-Solares en el relato de Pereda. El mismo Lantigua, aislado de la realidad entre los muros de su vieja casona y sumido en sus estudios históricos, es personaje de raíz perediana. Y hasta el fascinante personaje de Cafás, lleno de dobleces y de oscuridades, tan pronto repugnante como patético, no podría haber adquirido esa ruda realidad sin la presencia cercana de Pereda. Si al noble señor de Tres-Solares la hija se le hubiera casado con un judío, en vez del hijo del honrado Mazorcas, tendríamos en Pereda configurada la trama de *Gloria*. Quiero decir que por debajo de *Gloria*, en el centro mismo de la concepción de la novela y del arte nuevo con que se escribe, está la obra de Pereda, especialmente "Blasones y talegas". No es extraño, pues, que al describir la escena costumbrista de la procesión religiosa, con un cuidado y una delectación inusitada, rinda Galdós en forma ahora explícita su homenaje al novelista santanderino:[10]

> ...astutos aldeanos, honrados y sencillos marineros, toda la grey díscola y ladina de aquellas verdes montañas, todos los ejemplares de vanidad infanzona, de gárrula presunción, de socarrona travesura, de solapada codicia, de graciosa sencillez, de castellana hidalguía y de ruda generosidad, trasladados por Pereda, con arte maravilloso, al museo de sus célebres libros montañeses (N I, 621).

Con mucha mayor seguridad advierto las huellas de Pereda en *Marianela*. Ese idilio aún romántico, que tiene como

---

10. Como que esa procesión se ha descripto de acuerdo con los detalles proporcionados por Pereda. Ver Soledad Ortega, *Cartas a Galdós*. Madrid, 1964, pág. 61.

modelo posible a Goethe,[11] se desarrolla en una aldea cercana a Ficóbriga, en Socartes. Se trata de un medio geográfico similar al de Pereda. Socartes está en plena transformación económica, como ocurre con Reocín, en la provincia de Santander, hacia esas fechas; el paisaje agreste y campesino aparece como quebrado por las minas en explotación "a cielo abierto". Pereda en las *Escenas montañesas*, al referirse al "Espíritu moderno", habla de esa transformación originada también allí por el descubrimiento de la calamina, carbonato de zinc que por poseer óxido de hierro da a esas tierra coloración rojiza, como ocurre punto por punto con el imaginario Socartes. El mismo nombre de Socartes recuerda al de Cartes, pueblo cercano a Reocín. El nombre o apelativo de Nela, que se aplica a la protagonista, sorprende a Golfín como inusitado: "–Dime, ¿y a tí por qué te llaman Nela? ¿Qué quiere decir esto?". La joven da una explicación que nadie discute, a pesar del evidente desatino: "Mi madre se llamaba la señá María Canela, pero le decían Nela" (NI, 711). Nela es el diminutivo de Manuela, según uso común en la Montaña. En "El trovador" de las *Escenas montañesas*, y en otros lugares, Pereda utiliza ese diminutivo:

> Mala cólera me lleve
> si pensé, *Nela*, engañarte
> ni que me salieras luego
> conque no quiere tu padre.[12]

Confirma tal suposición el epitafio final de la novela en que se da el nombre completo de Marianela: María *Manuela*

---

11. Creo que el primero en indicar la existencia en la biblioteca de Galdós de un ejemplar del *Wilhem Meister* con anotaciones al margen, ha sido Casalduero. Montesinos, *op. cit.*, I, pág. 250, se refiere en un *Post scriptum* a ese ejemplar según datos que le proporcionó Josette Blanquat.

12. Pereda, *Obras completas*. Madrid, Aguilar, 1943, pág. 204.

Téllez. Los demás nombres tienen también características montañesas: Tanasio aparece en Pereda por Antanasio, Celipe o Celipín por Felipe: el sufijo in de Celipín es frecuente en nombres santanderinos. En "El jándalo" (*Escenas montañesas*) dice un persoaje de Pereda: "Si es Celipusco, el de Chisco"; se habla de "la cordera del tío Celipe Cuartajo" en "Arroz y gallo muerto". Y en "Al amor de los tizones" aparece además este significativo ejemplo: "Islas...y tan añas que las hay acuáticas como de tierra firme, sólo que entonces se llaman islas Celepinas".[13]

La vida agraria está aún presente en las minas, pero como un remanente del pasado. La familia del Francisco Penáguilas, de significativo apellido, posee todavía la propiedad de ricas tierras dedicadas a la labranza y a la ganadería. En el capítulo "El patriarca de Aldeacorba" Galdós reproduce una vez más escenas de un idilio rústico:

> Oíanse los graves mugidos de las vacas, que acababan de entrar en el establo, y este rumor, unido al grato aroma campesino del heno que los mozos subían del pajar, recreaba dulcemente los sentidos y el ánimo (N I, 736).

La fiesta en que se encuentra Nela con Florentina, en ocasión del santo de don Francisco, ocurre, como es lógico, un *4 de octubre*, que corresponde al santo de ese nombre en el Santoral; pero aún la casualidad viene en mi ayuda. El 4 de octubre es día especial en *Escenas montañesas* puesto que en esa fecha se celebra la extraña ceremonia con que se reciben entonces a los pastores que traen los ganados de las lejanas comarcas del pastoreo común. Hasta el oficio de cestero, vinculado con la economía agraria, aun cuando las cestas se

---

13. *ibid.*, págs. 212, 224 y 366.

utilicen para el transporte a caballo del mineral, está presente en los relatos de Pereda. [14]

Como ocurre con *Gloria*, los paralelos entre ambos escritores terminan en la frontera ideológica. En *Marianela* dialoga Galdós con Pereda pero para acentuar fundamentales diferencias.

II. En los años siguientes, Galdós se dedica a las que llama *novelas contemporáneas*, es decir al análisis extenso y riguroso de la vida urbana como expresión de las grandezas y anomalías del espíritu nacional. En casi todos los personajes urbanos hay sin embargo una prehistoria campesina, como ocurre con Felipe Centeno, por ejemplo, o con los Miquis. A veces, el campo se extiende a la ciudad sobre todo en el área de los mercados donde llegan los productos de la Mancha o de Andalucía. En algunos contados momentos el autor alude a la égloga pastoril cuando indica como propios de ese género la inocencia candorosa o el sentimiento ideal del amor presentes en algunos personajes.

Pero es a partir de 1889 que Galdós vuelve los ojos al campo para formular una utopía socialista y agraria. En todos esos años, Galdós debió reflexionar, un poco punzado por la crítica sobre las novelas del período krausista, sobre el error de ver en la realidad campesina la supervivencia de ideas perimidas, que lo había alejado de la auténtica novela rústica. Es cierto que ya no existían pastores con flautas y caramillos en el campo español, pero también es cierto que con la desaparición del carlismo y el avance de las ideas anarquistas

---

14. Se trata de los cuévanos usados para transportar toda clase de productos o enseres. Son tan característicos de la región que G. Adriano García Lomas, en *El lenguaje popular de las montañas de Santander*. Santander, 1949, les dedica dos láminas, la IX y la X, para ilustrar las distintas variedades.

y socialistas en Cataluña y en Andalucía, apenas existían ya tipos como Perfecta y Caballuco.

Desde 1889, los campesinos de Galdós adquieren una dimensión distinta. En *La incógnita*, novela de esa fecha, se retoma en cierto sentido la idea de Pepe Rey sobre la mitología y la ciencia. Manolo Infante, que era en *Doña Perfecta* quien mejor conocía la región de Orbajosa, sus vidas y milagros, y también su sólida realidad, reside ahora en Madrid, y padece los inconvenientes de la vida urbana. Su amigo Equis, que ha ido a Orbajosa para escapar de Madrid, le escribe desde allí, como desde las Batuecas el corresponsal de Larra, para que le aconseje el camino a seguir. Infante lo insta a quedarse en el campo:

> No vuelvas más a este Madrid, donde se pierde el candor y se deshoja al menor soplo la flor de nuestras honradas ilusiones. Equisillo de mis pecados, quédate en esa ruda Orbajosa, entre clérigos y gañanes; búscate una honrada lugareña, con buen dote y hacienda de diez o doce pares de mulas, que las hay, yo te aseguro que las hay. Búscala guapa, no digo rolliza, porque lo que es rollizas y frescas no las habrás visto nunca. Elige la menos amarilla y flácida, la que se te figure menos puerca dentro del hinchado armatoste de refajos verdes y amarillos; cásate con ella, hazte labrador, ten muchos hijos, sanotes y muy brutos; vive vida patriarcal y bucólica, y no aspires a otros goces que los que te brinden esa ciudad y ese campo, productor de los mejores ajos del mundo. Fórmate una familia, en la cual no pueda salir nadie que tenga ideales; come sopas, y no aspires ni a ser cacique de campanario. Dichoso el que logra emanciparse de esta esclavitud de las ideas y aprende a vivir en la escuela de la verda-

dera sabiduría, que tiene por modelo a los animales, querido Equis, a los mismísimos animales (N II, 1134).

Hay en el texto varios elementos que merecen nuestros análisis, ya que la ironía puede momentáneamente desorientarnos. En primer lugar, el historiador que escribe está desengañado de los altos ideales que antes abrigaba. Los personajes parecerán ahora prefiguraciones de seres del 98. Como los de Ganivet, Unamuno y Azorín, fluctúan entre exaltaciones ideales y amarga desilusión. La descripción de esos labradores no presenta ya idealización en ningún sentido. Son seres casi animales, cuya espiritualidad se reduce al goce de satisfacciones físicas. Las labradoras, aunque guapas, no tienen la frescura y robustez con que las pintan los poetas; son flácidas y amarillentas. Las "Galateas de refajo amarillo", como se las califica más adelante, no son ni limpias ni demasiado honestas. Sus hijos carecerán de todo ideal. La dolorosa y cínica carta finaliza con una exhortación a la renuncia de toda vanidad mundana.

Todavía hay muchos elementos negativos en la visión del campo de Manolo Infante. Pero ahora son los campesinos un poco víctimas de la falta de cuidado físico y espiritual; su pobreza y las condiciones poco favorables de su vida se reflejan en el color de la tez y en la tosquedad de las costumbres. Nada deja suponer la persistencia entre ellos de las tradiciones retrógradas que doña Perfecta representaba. No es la ideología del campesinado lo que interesa ahora a Galdós, sino las características de su vida. Cada vez parece más atento a la economía agraria y más consciente de la necesidad de una reforma. Berkowitz comenta de este modo los artículos de Galdós sobre la situación del agro aparecidos en *España Nueva* en 1908:

Galdós' utterances on agrarian reform were more rhetorical than practical. He bewailed the tendency of peasants to abandon the land for scarce opportunities in the cities, and he pleaded abstractly for narrowing the gap between rural and urban life... Considering agriculture as the backbone of the nation, he urged amelioration of the lot of the farmer... It seemed unfair that the benefits of national agriculture should be enjoyed by the wealthy landowners who resided in the cities, while backwardness and barbarism prevailed in the rural regions.[15]

La realidad ha impuesto ese cambio de perspectiva. Desde 1889, la baja producción de granos, la legislación antiproteccionista y la limitación impuesta por Francia a los vinos españoles, determinaron una crisis agraria que se precipitará en 1890 y durará más de una década. La *filoxera* contribuye a esa crisis ya que desde 1876 hasta 1892 destruye enorme cantidad de viñedos. Galdós usa el nombre de plaga con la grafía inglesa, *philoxera*, en 1878 cuando al final casi de Marianela compara a Celipín con el diminuto y voraz insecto. El hambre que esa situación produce en el campesinado provocó durante esos años levantamientos campesinos y el surgimiento paulatino de sociedades de pequeños propietarios y labradores que como las Ligas Campesinas de Costa procuran mejoras técnicas y una organización cooperativa de la producción agrícola.

La crítica ha indicado además en ese cambio de Galdós, la influencia precisamente de Costa y de los Regeneracionistas como Lucas Mallada, Matías Picavea, Damián Isern. Julio Rodríguez Puértolas utiliza a todos ellos al estudiar *El*

_____

15. En la biografía de Berkowitz, pág. 394.

caballero encantado como expresión del socialismo. Galdós ve ahora la vida campesina como una Edad de Oro anterior a la civilización en la que el hombre vuelve a ser el buen salvaje que imagina Rousseau. Es Emile Durkheim, entonces profesor de sociología en la Sorbonne, quien devuelve a Rousseau, para esas mismas fechas, el valor primordial de haber identificado la perfección psicológica del hombre con una organización económica basada en la satisfacción de básicas necesidades humanas. A partir de una primera estructura social de tipo agrario, va eslabonando Durkheim su antropología atento a la riqueza económica, la división del trabajo y los ritos religiosos. Durkheim se convierte en un teórico del socialismo no marxista. Debió influir, en tal sentido, en los socialistas del grupo de Pablo Iglesias y quizá en los anarquistas, para quienes la estructura agraria de España favorecía la concepción utópica de una sociedad autónoma y totalmente libre.[16]

En *Ángel Guerra*, el protagonista, por mediación de Leré, comienza a valorar el retiro campestre y con él el sentimiento religioso. Lo pastoril aparece allí representado en la figura de Tirso Cornejil, "rústico pastor" así descripto:

> ...era un hombre enteramente primitivo, de una tosquedad casi salvaje, hirsuto y mal barbudo, vestido con calzón de correal, abarcas de cuero, un chaquetón de raja parda sin forma ni color y que parecía compuesto de pedazos de yesca, montera de pellejo rapada ya por el uso. Su cara era un

---

16. Ver Emile Durkheim, *Le socialisme*. Paris, 1928, y sus conferencias sobre Montesquieu y Rousseau leídas en Burdeos en 1901, que conozco en la versión inglesa, *Montesquieu and Rousseau. Forerunners of Sociology*. Michigan, University of Michigan, 1961. Cabe preguntarse si Galdós habrá escuchado a Durkheim en alguna de sus visitas a París.

revoltijo de arrugas y polvo, en medio del cual
lucían los ojos sagaces, despiertos, como dos as-
cuas chiquitinas que habían caído por casualidad
en aquella masa reseca, y la iban a incendiar cuando menos se pensase (N III, 180).

Se dice luego que utiliza un lenguaje arcaico, "corto y de
escasísimo vocabulario, lleno de desusados idiotismos, que
sonaban a lengua fenecida." Guerra necesita la traducción
constante de sus frases llenas de refranes como *Si fuerdes al
monte, topardes liebres, magüer que en cría*. "que sonaba a
castellano en cría" (N III, 180). El genio, la figura y el
lenguaje del rústico se corresponden una vez más con personajes de Pereda. Guerra asiste a las conversaciones entre
Tirso y don Pito que, como en Pereda, ocurrían "por las
noches, *al amor de los tizones*" (N III, 183); a Guerra "le
entretenía oirles hablar por las noches junto a los *tizones
encendidos*" (N III, 181).

Don Tirso tiene todavía rasgos de personaje de égloga
realista pero en el contexto de esa novela ya simbólica adquiere una dimensión más. Ángel Guerra, don Ildefonso,
Tirso y don Pito representan actitudes diferentes frente a la
Naturaleza y por consiguiente frente al hombre y frente al
país. Ángel Guerra afirma rendir culto a la Naturaleza que ha
aprendido a gozar sin necesidad de destruirla. Don Ildefonso
lleva al extremo en cambio una actitud destructiva, propia del
hombre de ciudad, con su vocación guerrera en tiempos de
conflicto y cinegética en tiempos de paz:

Cada vez que don Ildefonso veía saltar un conejo
sobre las matas del monte, brincaba como un sal-
timbanqui y si hubiera tenido allí cien ametralla-
dores, habríales disparado a un tiempo contra el
pobre animal (N III, 175).

Galdós parece entender que la falta de aceptación de la dualidad del hombre característica del ascetismo cristiano, además de violar las leyes de la religión natural, desata violencia y provoca guerras civiles y sociedades intolerantes. Toledo es tierra de conejos, y de Cornejos, como lo es toda España que de tal animal obtiene el nombre. La matanza de conejos simboliza en Galdós, como luego en obras del cine contemporáneo español el destino trágico de una raza que se autodestruye en contiendas fratricidas. Antes nuestros propios ojos se suscita el enfrentamiento entre Tirso y don Pito.

Don Pito es un marino que ha transportado esclavos del Africa a las costas de América; cuando se enfrenta con el hombre natural, expresión del positivismo bucólico, asocia naturaleza y vida salvaje:

> Ese demonio de zagal –decía el marino a Guerra– es el vivo retrato de un cacique de negros que conocí en la costa de Africa, el cual nos traía la esclavitud en cuerdas de veinte, veinticinco hombres. A pesar de la diferencia de razas, aquel bárbaro y éste se parecen como dos gotas de agua en la manera de mirar y en el aire del cuerpo, y siempre que hablo con tirso me parece que tengo delante el amigo Tatabuquenque (N III, 181).

Don Pito comete ciertos desatinos geórgicos al confundir el gusano de seda con la abeja, pues de sus huevos ve salir las larvas de "los fabricantes de miel" (N III, 191) y la respuesta del rústico, "una carcajada burlona y rebuznante", desata la violencia. En ese instante, el civilizado marino ve "una distancia casi infinita entre su personalidad como raza y la de Tatabuquenque, y éste se le representó como el infeliz etíope cazado y vendido en los arenales africanos." Golpea al rústico como a un animal bravío; Tirso, que siente "su dignidad celtíbera bajo aquella corteza tosca", replica con rudos golpes al "inhumano esclavista". El civilizado don Pito expresa entonces su oculta verdad:

> Lo que yo digo: el mundo está perdido con esta libertad que hay ahora y esta igualdad de patete. ¿Por qué hemos de ser todos iguales, todos amos, todos señores? ¿Por qué no se ha de establecer que los brutos y zopencos, como este pedazo de hotentote, sean declarados inferiores y se le pueda vender y comprar para que trabajen a las órdenes de un buen bejuco? (N III, 193).

Ángel Guerra, con su mente "excitada y propendiendo al simbolismo", ve en esa lucha "un ejemplo de las embestidas de la civilización a los pueblos vírgenes, para ilustrarlos haciéndolos desgraciados; vió el descubrimiento de América, el empuje de la civilización hacia Occidente, y otras muchas cosas que se le fueron del magín ante la idea concreta que tenía que expresar" (N III, 193). Eso se escribe seis años antes de que aparezca *La conquista del reino Maya por el último conquistador español Pío Cid* de Ganivet, basado también en la idea de que la conquista destruyó el mundo prelógico de las civilizaciones de América y causó infelicidad a sus pueblos.

No es extraño que el cura Casado decida retornar a su castañar y abandonar Toledo, donde es pastor de "ovejas provisionales", para volver a sus "merinas", a sus geórgicas prácticas y reales, "más bonitas que las que compuso el Mantuano." Incita a los demás a volver a la tierra, "que espera con los brazos abiertos" (N III, 278).

A partir de esa transformación ideológica, los personajes de Galdós hallan en el campo el ideal de una vida sencilla, alejada de las instituciones deformadoras. Francisco Viera, en *Realidad*, descubre en el campo "la verdad absoluta". Para llegar a ella, nos dice, no es necesario un transporte en ferrocarril. Basta con pulsar el botón que todo hombre tiene en el pecho, es decir volver a la bondad y a la inocencia, y el transporte se logra en un abrir y cerrar de ojos (N II 1309). El campo, según el experimentado don Beltrán en *La campaña del Maestrazgo*, despierta sensaciones amorosas, obra del contacto continuo con la Naturaleza, el aire libre, la libertad. "Ya conocían el paño los que establecieron para penitencia de hombres y mujeres los recintos cerrados" (E II, 873).

Para gozar de su amor libremente y escapar de los convencionalismos y aún de las instituciones, dos personajes de *La revolución de Julio*, Ley y Mita, huyen al campo y encuentran en él un perfecto y paradisíaco retiro. El desprecio de la pareja por la sociedad que abandonan, lejos de merecer reprobación, aparece ahora como justificado dada la profunda simpatía del autor por esos dos jóvenes rebeldes. Es una pareja rousseaniana según la nueva concepción de Durkheim. Hallan en el campo una concordancia con la ley natural y la religión no regimentada. Los nombres de los personajes son simbólicos: *Ley* es *ley natural* y *Mita* se relaciona con mitología.

La vida retirada de Ley y Mita se describe según los modelos de la literatura clásica pero con mayor acento en el contraste con la vida civilizada. Es la ciudad, en las palabras de Mita, la que lleva ahora la carga de la ironía:

> El y yo trabajamos y sin gran apuro, nos ganamos la casa y el sustento... Dormimos tranquilos, nos levantamos antes que el sol, y oímos los canticios de las aves del cielo, que nos regocijan el alma. Rendidos, nos acostamos a la entrada de la noche; y como a nadie envidiamos ni nadie nos envidia, ni tenemos cavilaciones, nos coge pronto el sueño (E III, 37).

El personaje compara modas y usos de la ciudad con los del campo; el viento es su peluquero *a la dernière*, pero que no pasa cuenta alguna; las sopas son *potage aux finis yerbis* y hasta la cama es de *yerbis*. El enfermo Ley, arropado en su jergón, recibe el auxilio de los pastores: su amada dice a su corresponsal comunicándole el incidente:

> Era un día, Pepe, que... me río yo de lo que llamáis días buenos en ese Madrid pestilente...; yo no sé decirte cómo aquel día era. Mucha luz, un sol que consolaba sin calentar demasiado, y un aire fresco que, sin alborotar, hacía ruiditos mansos en las encinas... Los pajarillos, las maricas y los cuervos, tan contentos todos, buscando cada cual su remedio (E III, 42-43).

Las *maricas* y los *cuervos* no son pájaros ieales, ya que se caracterizan por lo aspero de su voz. Desde ahora hasta el caballero encantado suplantará en la égloga galdosiana a volátiles de mejor voz y más agradable aspecto.

En *Las tormentas del 48*, un personaje y su amante huyen también al campo, vestidos ambos con pellejos de animales, y se entregan a los placeres de una vida primitiva. Para ello desaprenderán lo aprendido y retornarán al lenguaje natural tal como Rousseau lo imagina: una forma de poesía anterior a la palabra:

> Y hasta el alma hemos de cambiar, sacando de nuestras cabezas un habla nueva, de poquitas palabras, lo preciso para decir cuánto nos queremos y nombrar las tres o cuatro cosas que usamos, y esa habla pienso yo que ha de ser a modo de poesía, al modo de música... ¿Verdad, gitano, que tendrá cancamurria de canción o de verano? (E II, 1474).

La *égloga realista* ha dado lugar, curiosamente a una nueva idealización de la vida primitiva, que no tiene ya sustento real. Cuando Fernando Calpena, en *De Oñate a la Granja*, vuelve de sus aventuras políticas y guerreras se sumerge en un pleno idilio. Gracia, su enamorada, cuyo nombre y figura se crean sobre la Graziella de Lamartine, le propone de inmediato un ritual de retorno a la esencia básica del hombre. Como Ulises, en el palacio de Nausicaén, el fatigado viajero descansa en un ambiente matriarcal y bucólico, antes de cumplir con los siete trabajos de Hércules a que Gracia lo destina. Las señoras de la casa amasan el pan para los trabajadores del campo. Gracia mide las cantidades de harina y de moyuelo, vigilando las cochuras. Se reparte las hogazas a los pastores y a los peones junto con una olla de habas para cada uno. También se ocupa Gracia del vino que se puede consumir y del que debe volver a los alambiques porque "se ha torcido"; se procupa también de la compra de nuevas cubas o del "adobe" de las antiguas. La detallada descripción de las tareas campestres y el gusto por la utilización de palabras que se refieren a la labor agrícola y a la industria del vino proporcionan al Episodio un inusitado tono poético. El autor mismo califica esas escenas de vida rústica como *Poema doméstico* (E II, 660).

El campo así ensoñado es ahora fuente de total satisfacción humana: la casa de Gracia es para Calpena "el más bello alcázar de Jauja" (E II, 662). Calpena se siente allí servido, como en un palacio de las *Mil y una noches*, "por hadas y serafines". En la descripción de las riquezas de esa casa y de las comidas que en ella se realizan, se une el recuerdo del Arcipreste de Hita a las reminiscencias del palacio de la *Diana* de Jorge de Monte mayor. Se piensa en una cornucopia casi de abundancia; Galdós intenta convertir la descripción en una alegoría de la Naturaleza:

...que en tal casa era como un continuo chorro vivificante de los múltiples dones de la Naturaleza. Allí las carnes suculentas de cabrito y carnero; allí, la caza del monte y la pesca del río; allí, las riquísimas verduras y las frutas tempranas; allí, los sabrosos esquilmos del cerdo; allí, la miel, la monjil repostería, formaban como una caudalosa corriente entre la Naturaleza y el estómago, entre el divino crear y el humano digerir, corriente que por la variedad de sus dones no permitiría el cansancio (E II, 664).

Abundan ahora en Galdós idilios pastoriles de este tipo. Sus campesinos ya no son los gañanes de Pereda, sino honrados trabajadores, hombres honestos y sencillos que como Vicente Halconero benefician a la tierra con su trabajo cotidiano y a España por la calidad de sus virtudes. Halconero no es hombre de ideas ni las necesita, no aumenta "la confusión de opiniones" y en cambio posee una "patriótica fe" que simplificará las ideas y obtendrá de ellas la síntesis que traiga al país grandezas positivas (E III, 246).

A partir de 1902, las novelas de Galdós incorporan la vida agraria a una más amplia utopía política que tiene que ver con los principios del socialismo. Un texto de fundamental importancia, que justifica mi extensa transcripción y el subrayado, aparece ese año en el *Episodio* titulado *Narváez*:

Admirábamos la hermosura del campo y montañas; platicábamos con toda persona que al encuentro nos salía, mendigos inclusive; visitábamos casas, casitas y chozas hacíamos paradas en medio de los rebaños, vadeábamos arroyos, saltábamos cercas; tomábamos el tiento a la vida campesina, que es *la vida madre de todas las demás que componen la nacional existencia*. ¡Mundo harto diferente del de las ciudades, pero no menos instructivo! En él recibimos enseñanzas más profundas que las que nos ofrece la sociedad formada; en él nos preparamos para *el conocimiento sintético de la humana vida.* ¡El campo, el monte, el río, la cabaña! *No es sólo la égloga lo que en tan amplios términos se encuentra, sino también el poema inmenso de la lucha por el vivir, con mayores esfuerzos aquí que en las ciudades, y el cuadro integral de nuestra raza, más enlazada con la Historia que con la Civilización, enorme cantera de virtudes y de rutinas que componen el ser inmenso de esta nacionalidad* (E II, 1527).

Se trata de un típico texto noventayochista, en que todavía se advierten deudas con la dialéctica krausista y con la Institución Libre: Galdós, como los discípulos de la Institución, transmite la experiencia de andanzas por el campo, conversaciones con labriegos, excursiones a la búsqueda de un alma nacional más evidente en la vida patriarcal y sencilla que en la vida ciudadana. La distinción precisa entre Historia y Civilización recuerda una vez más a Durkheim. Galdós coincide con Ganivet en entender que España, como los países del Africa, posee Historia pero no Civilización en el sentido específico de progreso. No implica ello una falla sino más bien un carácter distintivo. La palabra virtud, en el contexto, retoma su sentido primogenio de fortaleza moral y no tiene nada que ver con la ética religiosa, aún cuando en obras posteriores Galdós agrega a la utopía agraria un cierto carácter bíblico y confiere al campesino una mayor cercanía con Dios. Un Dios ético, un Dios cercano a la Naturaleza; el Dios de Tolstoy, independiente de los ritos cristianos. Existe en la utopía, además, un elemento político. Según lo dice una de las Musas en *La primera República*, España tiende a ser una federación de pueblos dispares unidos por comunes propósitos, como ocurrió con el *Antifictionado de Tesalia*, especie de pacto federal de los griegos, entre pueblos dedicados a la labranza de la tierra y otros criadores de caballos, comerciantes o industriales:

> Aquella gran federación ha tenido muy pocos imitadores... ¿Piensas tú que puede establecer sólidamente este bello régimen un país que hasta hace cuatro días no ha conocido la libertad, una raza que, aún siendo heterogénea, ha vivido amamantada con la leche de la unidad, aún se adormece en el regazo de la nodriza? Considera lo que pesan sobre tu país el Catolicismo y eso que llamáis el Papado, las viejas rutinas monárquicas y los enormes intereses inseparables de estas abrumadoras máquinas sociales. Tú, que no puedes traspasar los límites fisiológicos de la existencia humana, no verás realizado el ideal federalista en toda su pureza; yo, que soy vieja eterna, espero ver algún día...algún día, triunfante y dichoso el *Antifictionado Español* (E III, 1204).

Acaba Galdós para entonces de abrazar el ideal republicano y federalista. Enmascarado en su propia ficción, lamenta ahora hondamente la imposibilidad de ver realizado ese ideal en el corto tiempo que le resta vivir. Pocas veces ha hablado Galdós tan directamente de sus ideas y sentimientos. La impaciencia ante la inmovilidad política de esos años lo llevará a una radicalización paulatina.[17]

---

17. "Alarmante es la palabra revolución. Pero si no inventáis otra menos aterradora, no tendréis más remedio que usarla los que no queráis morir de la honda caquexia que invade el cansado cuerpo de tu Nación. Declaráos revolucionarios, díscolos, si os parece mejor esta palabra; contumaces en la rebeldía" (*Cánovas*, EIII, pág. 1377).

En *El caballero encantado*, la última novela de Galdós, ese fondo ideológico se expresa con mayor amplitud y claridad en una ficción desarrollada que imita y parodia la literatura pastoril. La escena previa al encantamiento de Tarsis es precisamente una discusión teórica entre ese personaje, el historiador Becerro y el capataz Bálsamo, sobre el estado de la agricultura en España. Tarsis, según lo afirma la Madre en otro momento, está inmerso en un total escepticismo y no cree que haya algo en España que merezca salvarse; Becerro defiende la posibilidad de una reforma agraria cimentada en la idea de que la agricultura es la economía sustentadora de la nobleza, y como tal, ha de procurar una nueva aristocracia de pequeños campesinos: es lo que él llama aristocratizar la tierra. "Propietario de la tierra y cultivador de ella no deben ser términos distintos" dice Becerro sintetizando su idea de Reforma. Tarsis afirma que de ser así los señores como los esclavos de la gleba morirán de gangrena, de inutilidad. Bálsamo, hombre de campo, ve con mayor realismo la existencia de un sistema de explotación ya envejecido, con grandes proprietarios por un lado y por el otro campesinos empobrecidos por las excesivas rentas. Planteado el problema y las posibles soluciones, el periplo posterior de Tarsis intentará afirmar, desde la experiencia del personaje, la solución que la Madre, y por consiguiente Galdós, cree más aceptable y segura. La Madre acepta la idea de revolución como una alternativa última y pide en ese sentido moderación a la vieja Celedonia que expresa violentamente su rencor social. Mientras tanto, lo que el personaje hace es castigar a los proprietarios ricos, como el mismo Tarsis, haciéndolos sirvientes de la gleba y a los industriales o comerciantes ambiciosos, transformándolos en mozos de cuadra. Galdós, que nunca ha creído en la lucha de clases, parece confiar en el cambio de actitud de quienes detentan la riqueza y el poder; de lo contrario, esa revolución pendiente pondrá las cosas en su justo sitio. El caballero cambia de nombre y de personalidad aún cuando mantiene cierta conciencia de su estado anterior y se convierte en un labrador primero y un pastor después. Conoce como labrador a los Gaytanes, viejos terratenientes, y a medieros como Caminero y su mujer. Luego aprender a soportar la dureza de la vida del pastor trashumante, asociado todavía con la organización medieval de la Mesta.

La Madre explica al caballero la razón de esas transformaciones: Tarsis ha tratado siempre de mal modo a los "pobres esclavos, labradores de la tierra, que es como decir artífices de nuestra comodidad de nuestros placeres y caprichos" (N III, 1041). Como en la *Divina Comedia* de Dante o en *Las zahurdas de Plutón*, de Quevedo, cada cual recibe la pena proporcionada a sus delitos terrenales. No hay modificaciones esenciales a lo largo del viaje, pero de algún modo se presenta también la vida futura. El viaje de Tarsis-Gil es en realidad un sueño y transcurre durante el tiempo en que observa la imagen de Cintia en la luna del espejo. Es el espejo el espacio de esa visión y a él se vuelve cuando, tras el último avatar de su conciencia, la de obrero de una cantera, Tarsis reingresa, sin mayor cambio, a su mundo real. Es otro sueño, un sueño dentro del sueño, el que nos describe la utopía final. Tarsis duerme en el regazo de la Madre y al despertar cuenta de este modo lo que ha soñado:

> "¡Qué dulce paz! He dormido en tu regazo como un niño, y he soñado que vivíamos en un mundo patriarcal, habitado por seres inocentes que no viven más que para compartir con amorosa equidad los frutos de la tierra..."

La Madre explica que se trata de una anticipación del futuro. Tarsis se ha anticipado a la historia en cien años, "para caer en un porvenir que yo mismo no sé cómo ha de ser" (NIII, 1046).

Esta magnífica novela, tan bien elaborada, se cierra con una fecha, *diciembre de 1909*. Es la fecha en que termina también la ficción: Cintia y Tarsis se aprestan a celebrar la Navidad cantando el *Gloria in excelsis* y adorando al Niño Dios, como lo han hecho los pastores desde los tiempos bíblicos. Las ficciones pastoriles del Renacimiento derivan de la Adoración de los pastores al niño de Belén. Como dice uno de los personajes: "Probes semos hogaño, tan probes como cuando adoramos al Niño Dios en el Portal de Belén" (NIII, 1038). Y manifiesta fiar los cuidados de la mujer en los muchos días en que vive *separadico* de ella por razones de trabajo, a la Santísima Virgen y al Santo Ángel de la Guarda. Pero más que la religión católica, es otra religión, más primitiva, la que se encubre en el alma de la raza. La Madre habla de su propia existencia antes de las lenguas y de las religiones. El paisaje de Castilla en que la Madre aparece por primera vez, con exhuberancia de decorado, se transforma en un paisaje simbólico, nacional y religios al mismo tiempo. Los colores de las sierra se tornan colores emblemáticos: verde, pardo, oro, gules y rojo. Los cencerros de los corderos repican con belénica armonía rústica. (NIII, 1038).

Unas ruinas extrañas, que parecen por la descripción dólmenes y menhires primitivos, constituyen, en el mismo paisaje, los mudos testigos de una religión ancestral. Se califica a las ruinas como "bárbaro santuario céltico" (NIII, 1040). Sancho, el pastor, asocia las ruinas con figuraciones satánicas. El paisaje es el *locus* esencial del origen rudo y al mismo tiempo puro de la raza que llamamos hispánica.

Es el sentido religioso, a mi juicio, un elemento muy propio del socialismo agrario de Galdós, que lo acerca a Tolstoy y lo aleja fundamentalmente del marxismo. No podía ignorar hacia esas fechas, el movimiento agrario que se conocía como *georgismo* creado por Henry George en los Estados Unidos y difundido entonces por Europa. Henry George es un fundamentalista en materia religiosa y sus planteos de Economía Política en relación con la propiedad y tenencia de la tierra se basan generalmente en textos de las Escrituras.[18] La Madre y Alquirobontifoncio utilizan citas de las autoridades de la Iglesia con el mismo propósito.

No es extraño que Galdós tenga preferentemente como modelo, en un momento culminante de la novela, la *Representación VII* de Juan del Encina, que une al realismo de personajes y de lenguaje un sentido de alegoría religiosa. El autor no oculta su utilización de antecedentes literarios para construir su mundo de ficción. Cintia, la promotora del viaje, tiene nombre "de dulce sabor pastoril y pagano" (E III, 1024). Como que es el mismo de una pastora de la *Diana* de Jorge de Montemayor. Las pastoras amadas por Rodrigacho y por Mingo se denominan *Filis* y *Galatea*. Las ninfas hombrunas y fuertes que danzan como un coro alrededor de La madre parecen derivar de la literatura italiana, o de los frisos y bajorelieves romanos. En la comparación entre las mesnadas de ovejas y los ejércitos, está muy cerca el texto del *Quijote*.

Pero sin embargo, la figuración de Galdós es diferente por la constante ambigüedad entre esas claras referencias literarias y la documentación realista. El paisaje esencial de España está otra vez situado en la Montaña, en zonas de

---

18. Los libros de Henry George, *Progreso y Miseria*, *La ciencia de la Economía Política*, *La cuestión de la tierra*, están anunciados en traducción española, en la contratapa de un folleto que sintetiza su pensamiento, *El credo del georgismo*, publicado en Ronda por la "Liga Española para el Impuesto Único", desgraciadamente sin fecha. Por las características de la imprenta, parece ser de la primera década del siglo XX. No importa la precisión de fechas, en este caso, sino advertir que la obra de Henry George formaba parte de las ediciones populares de ese tipo, en las que se divulgaban por poco precio las doctrinas sociales contemporáneas.

explotación agraria o industrial. El lenguaje de los personajes reproduce el habla de la región pasiega, aún cuando Galdós procura dar los dialectismos más generales y comunes también en otras regiones: *paiz* por *parece*, *antier* por *anteayer*, *probe* por *pobre*, *semos* por *somos*, *mesmo* por *mismo*, *chozo* por *choza*, se comentan como términos pasiegos en los diccionarios especiales. La denominación de *corte* para el cubil del animal porcino, de *haga* para la huerta, de *agostero* para el peón temporario; lo que se viste, lo que se come, el modo como se trabaja, corresponden con mayor evidencia a la misma región. Galdós reproduce también el lenguaje específico de la Mesta.[19]

A lo largo de toda su obra de novelista Galdós ha cambiado su visión del campo español en forma muy sorprendente. Pero en cuanto al modo de expresar su visión, ha mantenido constantemente, como se desprende de nuestro análisis, respeto por los procedimientos descriptivos de Pereda. En ese sentido, *El caballero encantado* constituye su último homenaje al escritor santanderino.

---

19. Además del libro de García Lomas, ya citado, ver el excelente estudio de Ralph J. Penny, *El habla pasiega. Ensayo de dialectología montañesa*. London, Támesis, 1969.

7. GALDÓS, VALERA Y EL PERSONAJE FEMENINO

7. Galdós, Valera y el personaje femenino.[1]

En 1877, Galdós utiliza por primera vez, en *Los cien mil hijos de San Luis*, un recurso que no volverá a aparecer en el resto de sus obras: la narración desde el punto de vista de un personaje femenino. El uso de esa máscara constituye una dificultad más agregada a la comunes del relato en primera persona, según se ha visto bien en relación con algunos autores ingleses. Como se recordará, la narradora auxiliar de ese episodio es Jenara de Baraona, personaje ya delineado en otras novelas anteriores. La vitalidad del personaje explica su persistencia en varias novelas, su creciente autonomía y esta transposición al plano fundamental del relato.

---

1.   Este trabajo se publicó como "Jenara de Baraona, narradora galdosiana" en *Hispanic Review*, LIII, 1985, págs. 307-327. A él se refiere Brian J. Dendle (*The Early Historical Novels*, Columbia, University of Missouri, 1986, nota 5 de pág. 89, cuando dice lo siguiente: "Rubén Benítez, in his account of the role of Jenara de Baraona throughout the second series, offers a somewhat more favorable portrayal of his character than my reading would suggest." Sirva esa observación como modo de balancear lo que en mi interpretación parezca excesivo.

Por eso resulta curioso que los estudios dedicados a las mujeres en la obra de Galdós dediquen tan poca atención a Jenara de Baraona. Es ello consecuencia de la pasiva aceptación del distingo habitual de la crítica entre las novelas propiamente dichas y los *Episodios Nacionales*. Marie-Claire Petit, que ha estudiado minuciosamente los personajes femeninos, incluso algunos que aparecen en los *Episodios*, parte sin embargo de la misma errónea distinción. Los *Episodios Nacionales* —dice— "consacrés les plus souvent au récit d'événements historiques ou politiques, appartiennent aux hommes et les femmes y ont peu de relief."[2] El juicio me parece equivocado desde cualquier aspecto que se lo examine. Nada hay en las circunstancias históricas que se evocan en los *Episodios* que impida una mejor presentación de personajes femeninos. Por el contrario: sorprende advertir en Galdós la falta de aprovechamiento de sucesos históricos en los que han sido las mujeres expresión del más alto heroísmo, como ocurrió en la realidad de los sitios de Zaragoza y de Gerona.

En *La Corte de Carlos IV* aparece una galería de cortesanas interesantes que no adquieren sin embargo la dimensión esperada. La verdad, pues, como dice Petit, que en los Episodios de la primera época las mujeres obtienen poco brillo; pero lo mismo ocurre con las novelas de ese período como *La sombra*, *La Fontana de Oro* y *El audaz*. El juicio de Petit se aplica pues a toda la obra galdosiana hasta 1875. Galdós no sabe entonces como manejarse con el personaje femenino y ello implica una debilidad en su pretensión artística de pre-

---

2.   Marie-Claire Petit, *Les Personnages fémenins dans le romans de Benito Pérez Galdós*. Lyon, 1972, pág. 10.

Para un estudio más detallado del personaje femenino en relación con Cervantes, véase Daría J. Montero-Paulson, *La jerarquía femenina en la obra de Galdós*. Madrid, Pliegos, 1987.

sentar el friso total de la sociedad española que, según Eoff, persigue desde 1870.[3]

Hasta 1875, las mujeres en Galdós no son seres completos y libres, como que constituyen todavía tipos derivados del costumbrismo y del teatro. El conjunto más importante de personajes femeninos (cerca de doscientos en las novelas escritas hasta esa fecha), está constituido por seres similares a los que en el lenguaje teatral se denominan personajes característicos: son mujeres maduras, gente de pueblo, a veces hamponas o guerrilleras, que presentan en su fisonomía y en su vestimenta rasgos muy marcados, y cumplen muchas veces una simple función escenográfica. Algunas de ellas se destacan por constituir además una representación simbólica de vicios sociales o de prejuicios religiosos. Las Porreño (en *La Fontana de Oro*), descuellan sobre los personajes de este tipo porque superan la determinación costumbrista y adquieren así inesperada vitalidad.[4]

Paulita Porreño logra todavía mayor dimensión; aún cuando persisten en ella los rasgos característicos y la representación mécanica de una idea, la intensidad de su pasión erótica la promueve a un tipo distinto, de heroína casi trágica. Es un ejemplo de los personajes que en el teatro suelen denominarse personajes de bulto. Son seres grandiosos, de contornos casi escultóricos, pero todavía representativos de la fuerza que simbolizan. En algunos, como en la Paulita

---

3. Sherman H, Eoff, "The Formative Period of Galdós' Social-Psychological Perspective", en *Romance Review*, XLI, 1950, pág. 41.
4. Véase al respecto Joaquín Gimeno Casalduero, "Galdós y la reaparición de personajes. Las Porreño, Garrote y Coletilla", en *Studies in Honor of José Rubia Barcia*, a cargo de Roberta Johnson y Paul C. Smith. Nebraska, Society of Spanish and Spanish-American Studies, 1982, págs. 59-70; y Chad C. Wright, "Artifacts and Effigies: The Porreño's Household Revisited", en AG, XIV, 1979, págs. 13-26.

Porreño o en la Susana Cerezuelo de *El audaz* existen indicios de un conflicto íntimo entre deber y pasión; en otros, como en doña Perfecta, el conflicto se da fuera del personaje entre lo que éste representa y la fuerza contraria. La grandiosidad de esas figuras nos engaña a veces; son creaciones de sorprendente relieve, pero que difícilmente podrían aceptarse como expresión de una psicología de mujer o paradigma de cualidades característicamente femeninas.

Pretenden sí serlo, en cuanto a su presentación y comportamiento, las heroínas galdosianas que según la ya demasiado extendida metáfora podrían considerarse *damitas jóvenes*. Los mejores ejemplos de ese tipo, hasta 1875, son Clara (*La Fontana de Oro*). Rosita (*Trafalgar*). Inés (*La corte de Carlos IV*), Solita Gil (El Gran Oriente); pero hay muchos más que se prolongan hasta la Rosario Polentinos de *Doña Perfecta*. Se caracteriza a esos personajes como jóvenes de gran belleza, en la que se destaca generalmente el color del pelo y de los ojos, la regularidad de las facciones, la redondez de las formas y hasta algún detalle personal que puede incluso perturbar la armonía del conjunto. Con mucha frecuencia, Galdós compara a esas mujeres con estatuas o con pinturas aunque "la comparación, por la vaguedad de su segundo término, no individualiza todavía," según lo advierte con respecto a otros personajes Joaquín Gimeno Casalduero.[5] La necesidad de la comparación implica además la cercanía con modelos ideales y por consiguiente la relativa realidad de esos seres. Son jóvenes siempre virginales, cuyo rubor evidencia apenas la sexualidad encubierta; niñas sumisas hasta la abyección, como en el caso de Clara; novias recatadas hasta la hipocresía en la relación amorosa. Más que individuos, parecen tipos genéricos explicados a veces con brutali-

---

5.   En "La caracterización plástica en la obra de Pérez Galdós: Del tipo al individuo", AG, VII, 1972, pág. 20.

dad casi naturalista: "Rosalía –dice Galdós–, de suyo cuitada y mansa, sentía la energía incontrastable que es propia de todas las hembras de las especies zoológicas cuando las contrarían en sus afectos." [6]

Esa Rosalía es la Gloria del primer manuscrito de 1872.[7] Creo sin embargo, con Montesinos, que la Gloria definitiva no comienza a elaborarse hasta 1875.[8] Es en ese momento, cuando Galdós ha pensado en conferir a un personaje femenino la representación simbólica del conflicto fundamental de España, que se le torna necesario intensificar el análisis psicológico de la mujer. Y como ocurre muchas veces, el taller en que ese proceso se va cumpliendo está en los *Episodios* y no en las llamadas novelas. Jenara es anterior a Gloria y más completa y libre como personaje.

La anterior clasicación puede constituir una reducción algo forzada. En el proceso de la creación de Galdós existen avances pero también retrocesos que tornan difícil el análisis lineal de su progreso técnico. Es claro, sin embargo, que la evolución en el tratamiento del personaje femenino desde un tipo como Clara a una mujer de carácter fino y complejo como Jenara, implica no sólo un avance en los procedimientos novelísticos sino también una superación de limitaciones ideológicas. Clara y otros seres similares son ejemplos, a

---

6. *Rosalía*, edición citada, pág. 117.
7. Pattison, en *Etapas preliminares...*, recoge el material que ya había dado a conocer en "The Manuscript of Gloria", AG, IV, 1969, págs. 55-61. En *Benito Pérez Galdós and the Creative Process*. Minnesota, University or Minnesota Press, 1954, había estudiado ya la génesis de *Gloria* sin conocer ese manuscrito. Véase sobre todo esto James H. Hoddie, "*Gloria* Reconstructed", AG, XVI, 1981, págs. 119-125. En el otoño de 1979, Alan Smith halló en la Biblioteca Nacional de Madrid el texto de la novela que publica en la mencionada edición.
8. *Galdós*, I, nota 5, pág. 201.

veces lamentables, del papel que el Galdós todavía juvenil confería a la mujer española en relación con el hombre y con la sociedad. En la misma medida en que las mujeres no pueden adquirir individualidad novelesca, comparten con otros personajes de las clases sociales más bajas el determinismo psicológico y social que les impide vivir con libertad y conducir así hacia un fin sus propios destinos. Se trata pues de liberar a la mujer, cosa que Galdós intenta en los *Episodios* contemporáneos de *Gloria*. A partir de entonces, sus mujeres obtendrán el brillo que Petit extraña en la primera época galdosiana.

Ese avance en el pensamiento y en la técnica del Galdós, hacia 1875, proviene, a mi juicio, de una circunstancia literaria que debió despertar en el novelista más de una relexión crítica. Me refiero a la aparición, en 1874 y en la Revista de *España*, de la novela *Pepita Jiménez* de Juan Valera; a la que sigue la polémica sobre realismo e idealismo que el mismo Valera preside desde el Ateneo y en la que se encubren juicios sobre la moralidad de personajes como Pepita.[9] Sobre todo esto ha trabajado con mucho provecho Vernon A. Chamberlin al asociar la obra de Valera con *Doña Perfecta*.[10]

La novela de Valera debió leerse como novela psicológica ya que plantea un problema de conciencia en relación con el conflicto entre las apetencias naturales y el ideal ascético. Por suerte, la tesis no perturba la fina elaboración el personaje femenino, lozana andaluza concebida en términos de la más

---

9. Ver el artículo de Gifford Davis, "The Spanish Debate over Idealism and Realism before the Impact of Zola's Naturalism", en PMLA, 84, octubre 1969, págs. 1649-1656. Es muy útil todavía el prólogo de Manuel Azaña a *Pepita Jiménez*, Madrid, Espasa-Calpe, 1980, págs. 11-19. (Clásicos Castellanos).
10. Vernon A. Chamberlin, "*Doña Perfecta*; Galdós' Reply to *Pepita Jiménez*", AG. XV, 1980, págs. 11-19.

moderna psicología. Pepita Jiménez es un ser libre en el que la belleza física no ha amputado la sensualidad natural, la agudeza del juicio, la voluntad. La atrevida escena en que Luis de Vargas sale de casa de Pepita con la turbación que le ha producido el contacto sexual con la heroína no tiene equivalente en ninguna de las novelas de Galdós ni en la de sus contemporáneos. Constituye en cierto modo una audaz y provocativa violación de las convenciones que impedían presentar como valiosa una relación de ese tipo, fuera del matrimonio. Galdós no pudo desconocer la novela ni la polémica subsiguiente. Como fino lector, debió comprender de inmediato los valores de *Pepita Jiménez* en relación con los de sus propias novelas. Valera traía a la novela española cualidades que faltaban en Galdós, entre ellas la caracterización más profunda del personaje de mujer. No creo que podamos afirmar sin embargo, como lo hace Chamberlin, que Galdós sintió entonces "his personal prestige and leadership in the realm of the novel to be at stake."[11] Por el contrario, la aceptación casi inmediata de aspectos de la novela de Valera constituye un homenaje de Galdós a su compatriota y una prueba de seguridad: en última instancia Galdós tenía tras de sí más de veinte novelas publicadas y un creciente público lector.

La relación literaria entre Galdós y Valera merece todavía estudio más detallado que el que aquí apenas indico. Si existió cierto recelo o animosidad fue más por parte de Valera. Valera confiesa no haber leído a Galdós hasta *La familia de León Roch* por temor de no encontrar en las novelas motivos de deleite o de hallarlos en tal nivel de excelencia que fueran en detrimento de las suyas.[12] Pero se trata de grandes escritores capaces de aceptar las virtudes de otros sin

---

11. ibid., pág. 12.
12. *Epistolario de Valera y Menéndez y Pelayo*. 1877-1905. Madrid, 1946, pág. 57.

rivalidad mezquina. Valera es el principal promotor de la entrada de Galdós a la Academia, y en sus cartas a Menéndez y Pelayo abundan los juicios elogiosos sobre Galdós.

Si hiciéramos el estudio completo de esas relaciones podríamos quizá advertir influencias recíprocas. Clarín, en una nota sobre *El Comendador Mendoza*, que recoge luego en *Solos* de Clarín, apunta similitudes entre Gloria y la novela de Valera, que Montesinos desecha como equivocadas.[13] El mismo Valera, en la carta a Menéndez y Pelayo del 27 de agosto de 1879, afirma con respecto a *La familia de León Roch*:

> Algo ha satisfecho mi vanidad, si no es engaño de mi vanidad misma, al notar yo, en esta novela que he leído, el influjo y como a huella de las mías. León Roch y María Egipcíaca, aunque son distintas criaturas, son hijos espirituales de Dª. Blanca y del Comendador Mendoza, salvo que los míos se emplean más en sus negocios que en probar una tesis con los propios actos de su vida, por donde los míos son más reales y humanos.[14]

En los dos casos, las referencias casi se limitan a la caracterización de personajes y, especialmente, de mujeres. Como suele ocurrir siempre en la república de las letras, los contemporáneos de los escritores y sus críticos tienden a comparar, a veces fastidiosamente, obras que aunque son en apariencia dispares tienen en común las preocupaciones y los ideales estéticos propios de una época. No es extraño pues que S. Gilman encuentre en la obra de Galdós un

---

13. Montesinos, *Valera o la ficción libre*. Madrid, Castalia, 1957, pág. 112. El artículo de Clarín se recoge en la citada edición de Alianza.
14. Valera, *Epistolario*, pág. 57.

diálogo constante con otros autores de su tiempo.[15] Chamberlin halla en *Doña Perfecta* un modo de respuesta a la concepción idílica del campo tal como aparece en *Pepita Jiménez*. En el estudio de los personajes femeninos de los *Episodios* podemos hallar también, y en fecha anterior a la de *Doña Perfecta*, elementos de un diálogo similar, no en relación con la descripción de ambientes ni con el asunto, que a todo eso descuella el Galdós primero, sino con respecto a la composición del carácter de la mujer, que era, como hemos visto, una evidente debilidad de su arte novelístico.

Las novelas fechadas hasta fines de 1874 debieron estar compuestas o en vías de composición en el momento en que aparece *Pepita Jiménez* entre marzo y mayo de ese año. Si hay algún eco de la lectura de la novela de Valera en Galdós debemos buscarlo pues a partir de *La batalla de los Arapiles* (febrero-marzo de 1875) con que se cierra la primera serie de los *Episodios Nacionales*. Cierre extraordinario en muchos sentidos, ya que ese hermoso *Episodio* constituye, a mi juicio, el más importante documento de la evolución de las técnicas galdosianas. En pocas obras anteriores se observa con tanta claridad el resultado de la lectura profunda de Cervantes. Cervantes, y no sabemos hasta qué punto Valera, ayudan a Galdós a desprenderse del peso de la crónica y a interiorizar la historia en una creación de absoluta libertad en que la fantasía descubre realidades más hondas. Los personajes se liberan en la medida en que el autor se siente libre. Y es allí donde advierto por primera vez la presencia de un personaje de mujer que escapa de la tipología acostumbrada. Athenais Fly, la joven inglesa que sigue a su hermano en el ejército de Wellington, es la representación misma de la libertad, ya que, según Galdós,

---

15. Stephen Gilman, "Novel and Society: Doña Perfecta", Pág. 5.

su nombre puede traducirse como pájaro, mosca o mariposa. Participa del tipo de belleza física de las jóvenes ideales: cabellos rubios, ojos azules, figura modernamente contorneada por un corsé; pero Galdós procura a cada instante diferenciarla de la mujer española. Como ocurre años después en *Fortunata y Jacinta*, Galdós utiliza ya la ropa, especialmente la ropa de mujer, como símbolo del inconfundible carácter español. Cuando Athenais quiere ajustarse un traje típico español, Araceli la previene contra el ridículo que de tal disfraz resultaría. Pero la diferencia fundamental con respecto a otros personajes anteriores reside en la conducta de Miss Fly. Viaja sola entre un ejército de hombres, ya que los ingleses, advierte un personaje consciente del sentido técnico de la palabra, llevan "en vez de impedimenta, la faldamenta" (E I, 1072). Araceli ve con prejuicios de hombre español la libertad de movimientos de la joven inglesa y maliciosamente le señala los peligros que una mujer joven y bonita debe afrontar en semejante compañía. Athenais Fly le responde entonces, con su graciosa lengua aprendida : "Ah, no conocéis sin duda que nosotras, las hijas de Inglaterra, estamos protegidas por las leyes de tal manera y con tanto rigor que ningún hombre se atreve a faltarnos el respeto" (E I, 1075). Y ante la sorpresa de Araceli al oirla hablar con una desenvoltura inusitada en jóvenes de su sexo, vuelve la inglesa a poner las cosas en su punto "Veo que os sorprende mi modo de hablaros. Acostumbrado a no oír en boca de vuestras mojigatas compatriotas sino medias palabras, vulgaridades y frases de hipocresía, os sorprende esa libertad con que me expreso, estas extrañas preguntas que os dirijo... quizá me juzguéis mal" (E I, 1077).

Los dos aspectos mas salientes del personaje, su nacionalidad y su carácter de mujer libre, acarrean nueva evidencia del respeto de Galdós por las costumbres y las leyes de

Inglaterra.[16] Pero es también verdad que hay en Miss Fly ciertas extravagancias que han molestado a algún lector inglés.[17] Es una viajera romántica en el sentido en que suelen utilizar el término los ingleses. Araceli la considera una de esas naturalezas acaloradas e impresionables que produce el Norte de Europa. Miss Fly es mujer culta, lectora asidua de romances y del *Quijote*, le seduce la vida aventurera, la galantería amorosa, las ruinas, las leyendas, la poesía popular. Tiene el privilegio de ser la primera mujer galdosiana de índole cervantina en cuanto busca en la vida real los sucesos y las actitudes aprendidas de sus lecturas.

Miss Fly se parece a Pepita Jiménez en ciertos rasgos de su belleza física, pero sobre todo en su decidida actitud frente a la problemática del sexo y del amor. No oculta su sensualidad ni vacila en tomar la iniciativa en el terreno amoroso. Es además, como Pepita, una amazona consumada y el caballo adquiere, en el contexto de la novela, la misma significación simbólica que Chamberlin advierte en *Pepita Jiménez* y en *Doña Perfecta*. La naturaleza libre de Miss Fly extraña a Araceli y al mismo tiempo le atrae, como ocurre con la naturaleza de Pepita en relación con Luis de Vargas. Cuando el joven seminarista observa desde su mula a Pepita, que montada en más veloz cabalgadura le lleva la delantera, recibe una impresión de irrealidad que de inmediato comunica a su tío:

> Su meridiana aparición, en lo más intrincado, umbrío y silencioso de la verde enramada, me trajo a la memoria todas las apariciones, buenas y malas, de seres portentosos y de condición superior a la

16. Doireann Mac Dermott, "Inglaterra y los ingleses en Galdós", en *Filología Moderna*, VI, 1965, págs. 43-58.
17. Jack Gordon Bruton, "Galdós visto por un inglés", en *Revista de las Indias*, VII, 1943, págs. 279-283.

nuestra, que había yo leído en los autores sagrados y en los clásicos profanos. Pepita, pues, se me mostraba en los ojos y en el teatro interior de mi fantasía, no como iba a caballo delante de nosotros, sino de un modo ideal y etéreo, en el retiro nemoroso, como a Eneas su madre, como a Calímaco Palas, como al pastor bohemio Kroco, la sílfide que luego concibió a Libusa, como Diana al hijo de Aristeo, como al Patriarca los ángeles en el Valle de Mambré, como a San Antonio el hipocentauro en la soledad del yermo.[18]

Esa aparición ideal y etérea, similar a la de sílfides y ninfas, contrasta luego con la carnalidad del personaje. Valera procura dar a Pepita la ambivalencia de las figuras mitológicas que cita. Pepita es, a pesar de su catolicismo, una figura pagana: Circe, pero también Venus, cuya estatua adorna el cenador de su huerta. En el mismo cenador hay otras figuraciones paganas, entre ellas Psychis, que alumbra con su lámpara el rostro sorprendido del Amor. El personaje de Athenais Fly lleva en su nombre, que Galdós traduce a veces como *mariposa* hasta el punto de llamar a la joven Miss Mariposa, reminiscencias de Psychis y de Venus; pero también de Palas Athenea, más de acuerdo con el ambiente bélico del Episodio. Miss Fly se le aparece a Araceli como hija de la fantasía y, al mismo tiempo, como joven sensual y ardorosa. Galdós tiene tan en cuenta a Valera que cuando Araceli ve a Miss Fly montada a caballo la describe en el siguiente párrafo, deliberada imitación del fragmento de Valera más arriba transcripto:

_____

18. *Pepita Jiménez*, en la citada edición de las Obras Completas, I, pág. 140.

Una figura extraña, hermosa, una agraciada obra de la fantasía, una gentil persona, tan distinta de las comunes imágenes terrestres como lo son de la vulgar vida las admirables creaciones de la poesía del Norte; una mujer ideal, llevada por arrogante y veloz caballo, pasa allá lejos ante la vista, semejante a los gallardos jinetes que cruzan por los rosados espacios de un sueño artístico, sin tocar la tierra, dando al viento cabellera y crin y modificando, según los cambiantes de la luz, su majestuosa carrera. Era una figura de amazona, vestida no sé si de negro o de blanco, pero igual a aquellas mujeres galopantes en cuya postura y arranque ligero se representa al aire, al fuego, a lo que vuela y lo que quema (E I, 1132-1133).

Los dos autores comparan a sus amazonas con ninfas o con creaciones literarias que representan lo ideal y lo etéreo. El lenguaje de Galdós se tiñe de coloración valerianas: esos "rosados espacios de un sueño artístico" parecen más propios de la imaginación de Valera que del estilo gráfico y directo de Galdós. Araceli manifiesta, página más adelante, que algunos sostienen que "jamás ha existido Miss Fly; que toda esta parte de mi historia es una invención mía para recrearme a mí propio y entretener a los demás." Y agrega luego, dando otra vuelta a la ironía: "por ventura, quien de tanta rectitud dió pruebas, ¿será capaz ahora de obscurecer su reputación con ficciones absurdas, con fábricas de imaginación que no tengan por base y fundamento la misma verdad, hija de Dios?" (E I, 1181).

Galdós tiene pues conciencia de haber creado un personaje típico de novela idealista, distinto de los que la veracidad histórica impone. Y al hacerlo ha querido imitar el ejemplo más inmediato de novela idealista, según la polémica en que la intelectualidad española está entonces empeñada. La ironía y las connotaciones del personaje implican una respuesta, más temprana que la de *Doña Perfecta*, a Juan Valera. Las mujeres ideales, como Miss Fly (que no puede usar la ropa española) o como Pepita, mujeres libres que hablan y actúan sin reparos, amazonas en el vestir y en aspectos de la actitud moral, son producto de modas literarias, entre ellas el Romanticismo, pero tienen poco que ver con la realidad española. Mujeres de ese tipo, libres y decentes, no pueden darse en España (ni por consiguiente en Andalucía); sí en Inglaterra, donde las leyes y costumbres a las que Miss Fly alude constantemente, protegen a la mujer y favorecen así una psicología distinta.

La utilización de *Pepita Jiménez* como tácito referente en *La batalla de los Arapiles* se torna aún más evidente por la presencia de otro personaje en el que se une también la esencia cervantina con elementos valerianos. Me refiero a Juan de Dios, monje agustino, que llevado por las lecturas de los místicos, sobre todo de Santa Teresa y de Fray Luis de León, intenta imitarlos en el Camino de Perfección. El propósito misional y de contemplación mística se quiebra inesperadamente cuando el monje descubre a la bellísima Inés, disfrazada de pastora. El disfraz y la inesperada perturbación de su ánimo convencen al monje de que el demonio, en forma de pastora, lo ha alejado de su idea religiosa. Se siente desde entonces "enfermo de impureza" y observa que su personalidad está dividida entre la vocación religiosa y la pasión humana: "No puedo ser santo –exclama–, no puedo arrojar de mí esta segunda persona que me acompaña sin cesar" (E I, 1067). Galdós nos descubre la raíz cervantina de Luis de Vargas, el personaje de Valera, llevado también a la vida contemplativa por sus lecturas. Pero Valera no desarrolla ese aspecto del personaje hasta las consecuencias últimas pues necesita, para corroborar su tesis, devolverlo tempranamente a la realidad común; Galdós en cambio, sin tesis alguna que defender, extrema el patetismo de su personaje y lo convierte en uno de sus más tempranos locos de origen cervantino.

Entre junio y julio de 1875, escribe Galdós el primer episodio de la segunda serie. *El equipaje del rey José*, en el que aparece por primera vez Jenara de Berona. Jenara, según la descripción que de ella hace Bragas, no tiene ni la belleza marmórea de las damitas de la primera época ni es tampoco una exótica belleza extranjera. Por el contrario, Galdós atina a darle desde el comienzo un gracioso aire español que anticipa el garbo inconfundible de Fortunata:

> Jenara –dice Bragas– con su pañuelo encarnado sobre los hombros... ¡La pícara, qué guapa es! Me parece que la estoy mirando cuando bailaba contigo en casa del maestro Rondaña. Salvador, ¿te acuerdas de aquel lunarcito que tiene sobre el rincón derecho de la boca? ¡Santa Virgen, qué rinconcito! ... Pues y aquel modo de mirar, y aquel reconcomio de ángeles divinos cuando se menea, o alza los hombros, o le da a uno las buenas tardes! (E I, 1196).

Fortunata aparece también con mantón sobre los hombros y un pañuelo, pero azul, en la cabeza; y el primer gesto que de ella se recuerda es un similar arqueo de hombros en actitud de desenfado. La dama alavesa adquiere por momentos, como Fortunata, una apariencia de maja goyesca: "La maja –dice el mismo personaje–, digan lo que quieran, no es más que lo femenino puro" (E II, 1704). Galdós sabe que ha creado un personaje con ángel, pues en *Los cien mil hijos de San Luis* pone en boca de la ya madura Jenara las palabras siguientes: "Mi belleza y cierta magia que, según dicen, tuve, contribuían no poco entonces al éxito de lo que yo nombraba plenipotencias de abanico" (E I, 1666).

Jenara suele ser comparada en varios momentos de la novela con figuraciones plásticas, de las del tercer tipo indicado por Gimeno Casalduero: personajes de un cuadro o figuras escultóricas conocidas. Es esencial en ese tipo de comparación la función identificadora que el segundo término cumple con respecto al primero.[19] A Jenara se le asocia con Ruth Moabita y con Santa Cecilia, figuras que adquieren siempre en la iconografía el carácter de ángeles de pureza y de voluptuosidad. No extraña la comparación con Ruth, por la atmósfera sensual que emana del episodio bíblico tan aprovechado en la literatura y en las artes plásticas. La comparación con Cecilia es menos usual y evidencia que Galdós conocía a fondo las figuraciones pictóricas y escultóricas en que la figura de la bellísima joven romana sirve para expresar la comunión del espíritu y de la materia que la música simboliza.[20]

Bajo la apariencia de joven virginal, Jenara encubre un torbellino de pasiones hasta el punto de representar en parte la síntesis de un momento histórico que Galdós caracteriza como "época en que las pasiones humanas exacerbadas conducen a los hechos heroicos y a los mayores delirios" (E I, 1219). La pasión es todavía en ella un elemento demoníaco, típico de un personaje romántico, como se evidencia en las constantes referencias a aspectos viperinos de su semblante o de su carácter. "Bajo ese semblante –dice Galdós– se escondía una culebrita graciosa de diez y siete años que se atormentaba con aspiraciones locas, con entusiasmos delirantes,

---

19. Gimeno Casalduero, "La caracterización...", págs. 21-22.
20. Valera compara a Pepita con Ruht; Pepita confiesa su amor a Luis "con la desnudez idílica con que Cloe hablaba a Dafnis y con la humildad y el abandono completo con que se ofreció a Booz la nuera de Noemí" (Obras completas, pág. 173). Véase al respecto el extraño libro de Luis González López, *Las mujeres de don Juan Valera*. Madrid, 1934, pág. 119.

con deseos no bien definidos... El reptil a sí propio mordía" (E I, 1270). Cuando Jenara sonríe, muestra "los dientecillos de la víbora:" sus dedos se mueven como culebritas (E I, 1272; 1214). Jenara siente en sí un veneno: su boca "habría sido un áspid si en carne humana hubiese posado sus secos labios." Al experimentar el sentimiento de los celos se revive y se agita en ella "lo que siempre tuvo de serpiente" (E II, 1676; 1705).

La contradicción entre el ángel y la serpiente tiene un sentido político. El ángel hermoso (y exterminador), que se aparece en los sueños de Jenara en representación del absolutismo, es Garrote, su futuro marido, que viene vestido de miliciano y montado en un caballo blanco, y al que se lo compara con San Miguel. Los afrancesados, en cambio, y por consiguiente Monsalud, se identifican en la fantasía de Jenara con el dragón que pone en peligro la integridad de las doncellas (E I, 1216). En la medida en que Jenara acepta el demonio interior de sus pasiones y se une con Monsalud, acepta también al demonio liberal y repudia los extremos del absolutismo. El violento Garrote se convertirá, a partir de entonces, en un demonio auténtico del que Jenara huye con sincera repulsión.

La pasión fundamental en Jenara es, sin disfraz alguno, una pasión sexual. Su primer encuentro con Monsalud, del que la separa el valladar del huerto, es contado por Galdós con una extremada y fina sensualidad: las manos de Jenara transpasan las maderas del cerco a la busca del contacto con la piel de su amante; los labios que besan la mano de Monsalud queman con ardor tan vivo que el joven siente penetrar el fuego hasta sus venas. Cuando años después los amantes se reencuentran, separados ahora por un matrimonio y por las diferencias políticas, Jenara vuelve a sentir la atracción del sexo. El aire frío que la capa de Monsalud desplaza en el recinto de la iglesia estremece a Jenara como si fuera un roce demoníaco y, con mayor claridad aún, el personaje confiesa más adelante su turbación ante "la contumacia y la virilidad (permítaseme la palabra)" que advierte en los ojos de Monsalud (E I, 1384). En *Los cien mil hijos de San Luis*, Jenara abandona definitivamete a su marido y se entrega sin vacilación a Monsalud; bajo la falsa identidad de legítima esposa recorre con él los caminos y comparte la intimidad de las posadas. En ese demorado viaje de novios, Jenara vive instantes de suprema felicidad, sin escrúpulo alguno, actitud algo inesperada en una dama absolutista, de recia formación católica. Jenara no tiene conciencia de pecado y cuando en 1848 compone sus *Memorias*, expresa sin mucha convicción un arrepentimiento demasiado tardío: "Reconozco mi falta —dice— y atenta sólo a que este papel reciba un escrupuloso retrato de mi concienca y de mis acciones, la escribo aquí, venciendo la vengüenza que confesión tan penosa me causa" (E I, 1640).

No es extraño hallar todavía ecos de Valera en la elaboración del personaje. Pepita, con sus inquietantes ojos verdes, posee también su lado de Circe o de serpiente encantadora. Jenara vive, como Pepita, en un huerto paradisíaco cuyos árboles se asoman a los balcones de la casa de Monsalud: por ello Monsalud la asocia con aire, con cielo y con sol. Antes del despertar de las pasiones, Jenara es también la mujer ideal y etérea al modo de Pepita y de Miss Fly; Bragas la identifica con un sueño, un imposible, una ilusión, con evidentes reminiscencias becquerianas (E I, 1196). Bécquer está también presente en las palabras de Monsalud: "Fuí tras ella... huía como la corza herida. Creyérase que tras su fugitiva persona, semejante a la sombra de una diosa ofendida, había quedado en la atmósfera un suspiro..." (E I, 1399).

"La sombra de una diosa ofendida..." Cada vez que Jenara explota en los accesos de su furia casi homicida, reaparece la alusión a la diosa homérica que, como ella, pasea sin mancharse por el teatro de una guerra sangrienta. Esa diosa exige "la ofrenda de sangre humana vertida en aras de su orgullo" (E I, 1270).

Jenara va variando a lo largo de los *Episodios* en que aparece: algunos rasgos de su personalidad se corrigen o se profundizan, otros muchos quedan para siempre en el misterio. Galdós ha aprendido ahora a respetar en sus personajes una dimensión de secreto, de intimidad, que contribuye a la sensación del ser real. La vida interna del personaje ni se explica ni se comenta: permanece vedada al narrador y a otros personajes que confunden los motivos de sus acciones. Es el lector, en cambio, el que descubre con satisfacción el sentido oculto de las palabras y de los gestos. Galdós aprovecha ya sabiamente el recurso habitual del teatro, derivado luego a la novela popular, de dar al público claves para la interpretación de palabras o de hechos que se presentan a los demás como indescifrables enigmas. Cuando Jenara observa en las calles de Vitoria los cadáveres de los afrancesados, su cara adquiere "el color del mármol"; no es por indignación, como se dice, ni por piedad humana, sino por el temor de encontrar entre los muertos el cuerpo de Monsalud. Los encuentros con Monsalud, que Jenara describe con repulsivo desdén, tienen para el lector un sentido distinto. Y así nos explicamos sus noches de insomnio, su incesante correteo por calles y por casas de vecindad, el súbito estremecimiento de su sangre ante la simple mención del nombre de Monsalud. Es ese trasfondo oscuro del personaje un rasgo distintivo de Jenara que la aleja definitivamente de los personajes femeninos típicos.

En *Los cien mil hijos de San Luis* el personaje se torna aún más complejo por el juego de perspectivas que dan una inusitada estructura al *Episodio*. El autor se reserva el párrafo inicial de la novela y presenta el relato como la transcripción directa de las *Memorias* de Jenara; interrumpe más adelante esas *Memorias* para referir por su cuenta algunos de los sucesos por las razones expuestas en una nota explicativa. Jenara cuenta sus aventuras diplomáticas y amorosas cuando es ya mujer madura, en 1848; contempla pues al personaje, que es ella misma, a veinte años de distancia, con ironía y con reflexión crítica pero también con la coquetería y la complacencia de quien ve reflejada, en el espejo de la memoria, la mejor imagen de sí. También Valera usa el procedimiento cervantino y con parecida intención irónica. Pepita Jiménez es resultado de la edición de unos papeles heredados por el autor según se dice; el autor se reserva una parte de la novela para dar su propia versión de los hechos. En el caso de Cervantes y de Valera la estructura responde a la necesidad de observar una realidad desde diversos ángulos. No en el caso de Galdós, ya que la visión de Jenara no difiere de la del autor, según se desprende de la comparación entre las *Memorias* y el fragmento que el autor suscribe. Pienso que la razón de Galdós es más simple. Ha decidido observar un momento especial de la historia de España desde una conciencia femenina y, por ser femenina, más apta para criticar las ambiciosas intrigas de hombres que han perdido toda dimensión heroica. Pero el autor se mantiene cerca, como para convalidar la verdad de ese testimonio, ya que en el personaje existen desde su comienzo ciertas exaltaciones que podrían dañar la confianza del lector. Por la misma razón, el personaje se desdobla y la narradora critica sus propios actos juveniles. Es más una preocupación ética la de Galdós y no metafísica.

El personaje ya psicológicamente desarrollado y puesto ahora en el marco protector de esa estructura, sirve perfectamente para transmitirnos los turbios manejos de una conspiración diplomática; el buen gusto y el sentido común de la aristócrata alavesa va reduciendo mediante ironías toda posible grandiosidad de hechos y de personas. Galdós debe sin embargo intensificar ahora en Jenara rasgos sólo insinuados en los *Episodios* anteriores. Se evidencia más el espíritu aventurero del personaje, su interés por seguir una vida "tortuosa y rápida; que me ofrezca sorpresas a cada instante y aún peligros; que se interne por pasos misteriosos, después de los cuales deslumbra más la claridad del día" (E I, 1637). Jenara se torna protagonista de viajes y de acaeceres casi maravillosos; la asociación con *Don Quijote* se justifica plenamente. Jenara es *Don Quijote* o Dulcinea, según sea ella misma o sus enamorados los que la califican. La dama viajera, cuyas *Memorias* se titulan parcialmente, como el libro de viajes de Alejandro Dumas, *De París a Cádiz*, observa por todos los caminos la dolorosa realidad de España.

La conversión de Jenara en una conciencia crítica, tan extraña y tan nueva por ser femenina, obliga a Galdós a reforzar además otros rasgos de su personalidad y otras circunstancias de su vida que aseguren al lector un mejor testimonio. Para ello debe liberar a Jenara de aquellas ataduras psicológicas y sociales casi inherentes al ser mujer que podrían perturbar la claridad de su juicio. En primer lugar, Galdós la libera de toda dependencia económica, ya que la narradora confiesa tener sobrados medios de subsistencia. La independiza también de las ligazones familiares: muerto el abuelo, sólo le queda ahora romper el vínculo de un matrimonio sin hijos. Uno de los primeros parlamentos de Jenara en *Los cien mil hijos de San Luis* se dedica precisamente a informarnos sobre su total libertad familiar simbolizada por su huida del hogar. Por ser mujer, el personaje está más alejado que el hombre de la esfera del poder, sobre todo si no necesita de prebendas o de favores especiales. Las ideas políticas de Jenara no tienen nunca como finalidad explícita o encubierta el adquirir una posición de ventaja o de mando. En la organización social del siglo XIX, el ser mujer podía tener al menos la ventaja de constituir una atalaya más desinteresada y objetiva para la observación del proceso histórico. La libertad sexual de la protagonista es el factor fundamental que asegura su necesaria independencia. El lector de los *Episodios* anteriores cuenta además con suficiente información sobre la inteligencia de Jenara, la penetración con que observa y analiza el comportamiento de los otros y su educado juicio; todo ello contribuye a dar veracidad a su testimonio.

También sirven al propósito de Galdós otros rasgos del personaje no tan positivos que se han ido desarrollando en las novelas anteriores a *Los cien mil hijos de San Luis* y que encuentran en la nueva novela una mejor justificación. Galdós mantiene siempre cierto arraigo con la sabiduría popular; en este caso se hace eco de la opinión generalizada de que la mujer tiene por naturaleza mejores cualidades que le hombre para las actividades diplomáticas. Jenara es una diplomática pura, según ella misma lo confiesa: "Yo, dicho sea sin perjuicio de la modestia, había mostrado regular destreza para tales tratos, así como para componer hábilmente una intriga, y el hábito de ocuparme en ello había despertado en mí lo que puede llamarse el amor al arte" (E I, 1656). Jenara es algo intrigante y maestra en la simulación y en el engaño. Su despechado marido habla de ella, en un *Episodio* anterior, en los siguientes términos:

> El ingenio de Jenara es inagotable, Dios le ha dado la filosofía suprema del engaño, la luz divina del disimulo. Penetrar su pensamiento es obra superior a la perspicacia de los hombres. Tiene las insondables argucias del demonio debajo de la sonrisa de los ángeles. Sólo Dios puede saber lo que hay bajo el azul de sus ojos. El azul de los cielos, ¿no es una mentira? Pues el mirar de ella es un inmensidad de embustes (E I, 1421).

Es de suponer que cuando esto se afirma, en *La segunda casaca*, el autor tiene ya idea de conferir a Jenara el papel protagónico de esta novela posterior. En el mismo Episodio, Jenara manifiesta que deberían encomendarse a las mujeres ciertas cosas del Gobierno, en especial el descubrimiento de las conspiraciones. Para ello –dice– son las mujeres más aptas en cuanto sirven con mayor lealtad, ardoz y honradez, actúan con instinto más fino y mayor penetración, son más honradas y adivinan más (E I, 1379). No es extraño que cuando Ugarte, en *Los cien mil hijos de San Luis*, manifiesta la imposibilidad de hallar hombre de confianza para transmitir los manejos desde Bayona a la Corte, Jenara responde de inmediato: "Pues busque usted bien, don Antonio, y quizá encuentre a una mujer" (E I, 1636).

Rafael Altamira advierte en el personaje de Jenara el ingenio sutil, la travesura graciosa y chispeante, el talento claro y el espíritu aventurero y atrevido de muchas de las mujeres que abundan en la historia de la diplomacia antigua; a todo ello "unen el fuego de las grandes pasiones, apoyado en la excelencia de dotes corporales que utilizan a maravilla." Galdós confiere a Jenara cierta malicia analítica que sirve a la perfección en toda tarea diplomática.[21]

El lector sabe, sin embargo, que la capacidad de engaño del personaje nunca habrá de aplicarse a los grandes hechos y a los sentimientos profundos. Ha visto a Jenara mantenerse fiel al marido a pesar de su pasión encubierta, le ha visto actuar con absoluta lealtad junto al abuelo cuya vejez dulcificó con su ternura, la ha escuchado razonar en contra de los excesos políticos, y sabe por consiguiente que Jenara habrá de decir la verdad pues es básicamente mujer honesta y

---

21. Rafael Altamira, "La mujer en las novelas de Pérez Galdós", en *Atenea* LXXI, 215, 1943, pág. 147.

sincera. Sus engaños han sido y serán más bien resultado de su apasionamiento y de su capricho. No hay maldad, aunque si malicia, en enviar a Solita, su rival, tras las falsas pistas de Monsalud. Es en el terreno de la pasión amorosa donde Jenara pierde transitoriamente todo escrúpulo moral. Cuando el conde de Montguyon, un Don Quijote enamorado de su Dulcinea, la persigue continuamente con sus requiebros amorosos, Jenara se sirve de ese amor ideal para ir tras Monsalud, y usa su belleza física, y algunas imprecisas promesas, como un seguro señuelo. Galdós ha dejado en el personaje esa sombra moral con el propósito de unir la vida personal con la vida histórica. Ya hemos citado la frase en que define a la época como tiempo de grandes pasiones. La pasión de Jenara no se detiene en escrúpulos. El fin justifica los medios, tanto en el proceder amoroso del personaje como en las tratativas de su acción diplomática. El maquiavelismo de Jenara es símbolo de la actitud de los absolutistas que para lograr sus propósitos políticos recurrieron al medio de solicitar una invasión extranjera. El castigo de ese proceder es el no lograr nunca la auténtica satisfacción de tantos afanes.

La narradora de Galdós observa la historia como cosa hecha por los hombres, a los que critica desde la superioridad de su sexo. Los conspiradores son insdiscretos, vanidosos, pobres de ingenio, torpes en los manejos públicos, deshonestos en la administración del dinero. Los aristócratas que rodean a Fernando VII son seres inservibles que buscan en la acción el mero lucimiento personal. El clero, de suyo hablador, es incapaz de mantener en secreto el negocio de la conspiración. Por el otro lado, los liberales extremados, masones y comuneros, terminan por venderse al absolutismo. La crítica de Jenara coincide con las ideas de Galdós: como absolutista, puede ella expresar esa crítica con respecto a los hombres de su bando sin sospecha de inclinación partidaria: como amante de un liberal, comprende y hasta siente simpatía por los extremos del idealismo romántico, pero advierte también su ineficacia.

La inteligencia de esa conciencia femenina que observa la historia no anula su sexualidad. La misma Jenara reconoce el valor de su sexualidad en los éxitos de la diplomacia. Fernando VII, a quien describe como un sátiro, procura seducirla. Chateaubriand entabla con ella una negociación que tiene visos de contienda amorosa. Jenara observa en el mirar penetrante del autor de *Atala* algo de curiosidad reparona, impropia de hombre tan fino. "Por mi belleza y mis gracias materiales yo no podía ser de palo para el Vizconde" —confiesa con coquetería—. "Después supe que con cincuenta y dos años a la espalda aún se creía bastante joven para el galanteo y amaba a cierta artista inglesa con el furor de un colegial. "Chateaubriand se deshace en galanterías, elogia la hermosura de la embajadora y le habla del país "donde florece el naranjo." "Me había tomado por andaluza, y yo le dejé en su creencia. "La experiencia de Jenara con los franceses dramatiza el error de buscar en el apoyo exterior la solución de las discordias españolas. En Jenara triunfa su españolidad, puesta en constante evidencia como contraste de la visión idealizada que Chateaubriand tiene en España y de sus bellezas. La embajadora de las absolutistas advierte, en la asamblea en la que el rey de Francia anuncia la salida de los cien mil hijos de San Luis, que los franceses "nos trataban como a un hato de carneros." El cambio de su actitud torna visible la lección didáctica que Galdós imparte a sus conciudadanos. Jenara lo manifiesta con absoluta realidad:

> He sido siempre de una volubilidad extraordinaria en mis ideas, las cuales varían al compás de los sentimientos que agitan mi alma. Así es que, de pronto y sin saber cómo, se enfrió un poco mi entusiasmo y cuando Luis dijo con altanero acento... aquello de 'Somos franceses, señores', sentí

oprimido mi corazón, sentí que corría por mis venas rápido fuego y pensando en la intervención dije para mí: No hay que echar mucha facha todavía, amiguitos. Españoles somos, señores (E I, 1657).

Jenaraa se aleja de la acción histórica para darnos su novela, las aventuras de un judío errante, como ella misma la califica; sólo alcanza de soslayo la felicidad que persigue. Jenara paga su libertad con moneda de soledad. Cuando Pipaón le anuncia el nacimiento de la infanta Isabel: "–¡Hembra! España es nuestra," Jenara replica con una exclamación en la que asocia el destino de ser mujer al destino histórico de España: "–¡Hembra! ¡Pobre España!" (E II, 127).

Pocos escritores del siglo XIX se han animado a contar una historia desde la perspectiva de una mujer, y casi ninguno en la España de Galdós. Dickens narra algunas novelas desde el punto de vista femenino, pero se trata de niñas en quienes la inteligencia es casi una anomalía de la sexualidad reprimida. Como afirma una estudiosa del tema, la mujer cuenta sus aventuras en la novela del siglo XIX sólo si es una prostituta, según la tradición de la picaresca, o niña asexuada y mujer no completa.[22] El realismo, tan interesado por el estudio de la psicología de la mujer, prefiere la observación objetiva de casos más o menos clínicos de mujeres adúlteras o descarriadas. Aquellos autores de novelas que son mujeres,

---

22. Anne Robinson Taylor, *Male Novelists and Their Female Voies: Literary Masquerades*. New York, Troy, 1981: ver especialmente "Charles Dickens and Esther Summerson: The Author as a Female Child", págs. 1021-1052. Interesa además el capítulo sobre "The Demands of Genre in the Nineteenth Century", págs. 91-118. Cita las novelas de Dickens que interesan, pero sin estudiar los *Episodios*, Effie L. Erickson, "The Influence of Charles Dickens in the Novels of Benito Pérez Galdós", *Hispania*, XIV, 1936, págs. 424-435.

con la excepción quizá de George Eliot en Inglaterra, recurren —como George Sand o Fernán Caballero— al punto de vista objetivo; encubren su femineidad tras ese recurso con mayor eficacia que tras el seudónimo escogido. Aun una escritora tan libre y juiciosa como la condesa de Pardo Bazán, cercana a Galdós en más de un sentido, cuenta en primera persona algunas peripecias de hombres pero escoge la tercera persona en todos los casos en que se trata de asuntos de mujeres.

La narradora de Galdós es pues un caso único, no sólo nos cuenta su novela personal sino que se convierte en la conciencia crítica que observa un episodio de la historia y hasta en el símbolo total de la desdicha de España. La modernidad de Galdós se evidencia en haber respetado en ella la inteligencia superior unida a una manifiesta sexualidad superando así a sus modelos posibles en la creación de una mujer íntegra y valiosa.

Pienso que Jenara no podría existir sin Valera, y lo mismo puede extenderse a muchos otros personajes de Galdós hasta llegar a Fortunata; sin el reconocimiento de que en la mujer la inteligencia humana adquiere rasgos de mayor sutileza, de que no existe inteligencia posible sin una rica vida sensorial; de que el espíritu se enraíza en la carne; y sin el ejemplo práctico de Pepita Jiménez, cuya naturaleza —que incluye la vida espiritual— es más profunda y alta que la de cuantos hombres la rodean. De la novela de Valera ha surgido Jenara y tras ella un bello linaje de figuras literarias.

8. NOTA FINAL: EL REALISMO DE GALDÓS.

8. Nota final: El realismo de Galdós.

Es característica muy propia de la cultura española la imposibilidad de ser explicada con los claros distingos a que nos tiene acostumbrado el didactismo francés. En muchos casos, esa imposibilidad, que es signo de riqueza, ha sido percibida como una anomalía y, por momentos, hasta como una inferioridad. Ni el Romanticismo, ni el Realismo, ni el Naturalismo en la literatura española del siglo XIX pueden analizarse en su complejidad con los perfilados rótulos franceses. En las clases universitarias, el profesor suele definir claramente el concepto de *realismo*, por ejemplo, como el intento de reflejar la realidad tal cual es y no como debería ser, según la distinción aristotélica entre lo *icástico* y lo *fantástico*; distinción que los debates sobre el realismo y el *idealismo* en la novela, volvieron a poner de moda. Pero en el momento de aplicar la definición a las obras estudiadas, se advierte de inmediato su insuficiencia, apenas compensada con la creación de nuevas categorías como *realismo ideal* o *naturalismo espiritualista*, en las que los adjetivos anulan esencialmente el sentido de los sustantivos. No es extraño que en los libros más conocidos sobre el realismo europeo, como en GATES OF HORN de Harry Levin,[1] el nombre de Pérez Galdós aparezca muy contadas veces.

Algunos importantes pero parciales trabajos sobre la relación de Galdós con Balzac, Dickens, Flaubert y Zola, han abierto una nueva instancia en la crítica galdosiana;[2] pero será tarea de los jóvenes comparatistas del futuro mostrar las contribuciones de Galdós al realismo europeo. Muchas veces perdemos de vista el excepcional éxito de Galdós fuera de España, que Clarín atestigua muchas veces.[3] En su tiempo, Galdós es considerado uno de los grandes novelistas europeos; a esa justa valoración, que ha cambiado por culpa de

---

1. Publicado en New York, Oxford University Press, 1963. Véase la reseña de Manuel Durán y Antonio Regalado. "Harry Levin y su exploración de la novela realista", AG, I, 1, 1966, págs. 119-123.
2. Es indispensable remitir aquí a las agudas observaciones de Stephen Gilman en *Galdós and the Art of Europen Novel 1866-1867*. Princeton, Princeton University Press, 1981 (Reseña de Anthony Percival, "Galdós y la novela Europea. AG, XVIII, 1983, págs. 146-149). Véase además la documentada nota de Shoemaker en *The novelistic Art of Galdós*, I, capítulo IV. "Influencias: Dickens, Balzac, Zola, Shakespeare, Cervantes", págs. 84-96. Interesan también los estudios de Luis Fernández Cifuentes, "Entre Gobseck y Torquemada", AG, XVII,1982, págs. 71-84; Gustavo Correa, "El Bovarysmo y la novela realista española", AG, XVII, 1982, págs, 25-32; Alan Smith, "Galdós y Flaubert", AG, XVIII, 1983, págs. 25-37 y en el mismo número, págs. 7-14, la nota de G. Krow-Lucal, "Balzac, Galdós and Phrenology".
3. "Galdós es hoy considerado por los más famosos críticos como uno de los grandes novelistas contemporáneos, el mejor de España sin duda. Galdós y Armando Palacio, que en los Estados Unidos es un novelista popular, como podría probarse, son dos españoles de ahora que han entrado ya en el terreno privilegiado de la lectura universal", dice Clarín en su ya citado *Galdós*, págs. 29-30.

los españoles mismos más que de los lectores extranjeros, es ya imperioso volver.

De las páginas precedentes de este estudio se desprende, creo yo, una interpretación galdosiana de la realidad española y un uso de la tradición literaria que sólo en aspectos muy parciales puede vincularse con el sentido de la realidad característico de la novela europea. Sin embargo, sería falso concluir que Galdós no es un escritor realista simplemente porque su visión de la realidad no coincide con la de otros. El realismo abarca demasiadas cosas como para no permitir las más diferentes perspectivas. Me parece mucho más inteligente y certero aceptar, como lo hizo Clarín tempranamente, que el realismo de Galdós tiene características propias, que es necesario todavía definir. En principio debemos aceptar el término "complex realism", acuñado por Gerard Gillespie en un brillante estudio sobre la realidad y la ficción en Galdós, para describir en este sentido el carácter de la novela galdosiana.[4]

Ese realismo complejo de Galdós se explica en parte por la gran extensión temporal de su obra, que se inicia cuando Balzac, Dickens y Flaubert son todavía los maestros del realismo europeo, se desarrolla paralelamente con la formulación teórica del naturalismo y termina cuando el naturalismo ha dado ya lugar al simbolismo, tendencia implícita desde el comienzo en las obras de Zola.[5] Ese continuado proceso de evolución y no de radical cambio está muy claramente observado en las reseñas de Clarín. Me baso en ellas,

---

4. "Reality and Fiction in the Novels of Galdós". AG, I, 1, 1966, pág. 13.
5. "El símbolo es una de las fórmulas usuales de la retórica zolista; la estética de Zola es en ocasiones simbólica", dice Emilia Pardo Bazán en *La cuestión palpitante. Obras completas*, Madrid, 1888, I, pág. 227.

porque la experiencia de Galdós coincide con la del crítico; el intérprete y el autor crecen juntos y eso hace que el testimonio de Clarín constituya además la obra crítica más apasionante escrita sobre el novelista.

Hasta *Gloria*, las novelas de Galdós, incluidas sus novelas históricas, responden a su modo a los cánones del realismo romántico:[6] Clarín asocia la novela con obras de Victor Hugo[7] y más modernamente Pattison la considera una novela romántica.[8] Cuando el Galdós juvenil protesta contra el realismo contemporáneo, se refiere a la novela social romántica, que determina el desarrollo de la novela folletinesca, y no a un realismo más moderno. En *Marianela* se advierten los primeros indicios de naturalismo, conocido en España desde la difusión de *Le ventre de Paris*, publicado en 1873, pero sólo identificado como teoría a partir de 1880, que es cuando Zola publica *Le roman experimental*.[9] Galdós se sirve del naturalismo, según Clarín, pero no se suscribe integramente a la teoría de Zola.[10] A partir de *La incógnita*, en 1890, se

---

6. Ver Georghes Pellissier, *Le réalisme du Romantisme*. París, Hachette, 1912, especialmente "Les genres littéraires...", II, "Le Roman", págs, 176-199.
7. "Jean Valjean podría ser abuelo de *Gloria*", Clarín, *op. cit.*, pág.43.
8. Ver *Benito Pérez Galdós and the Creative Process*, pág. 90.
9. Ver la información que proporciona Pattison, *El naturalismo español. Historia externa de un movimiento literario*. Madrid, Gredos, 1965.
10. "Así, Galdós, que sin compromiso alguno anterior, por la fuerza de la convicción tan sólo, fue penetrando poco a poco y a su manera en la nueva retórica (lo que es principalmente el naturalismo, una retórica), supo hacerlo con toda independencia. Y sin necesidad de insultar a Zola ni a nadie, quedándose tan original como era antes de escribir *La Desheredada*. Galdós no imita a nadie: no es naturalista a priori... resulta naturalista, que es lo mejor y lo que importa, tratándose de quien escribe novelas y no crítica...

advierte su insatisfacción con el naturalismo; se abre así una nueva fase novelística que Clarín define como "neo-idealismo". Ya para entonces muchos otros autores extranjeros se habían apartado de la fórmula naturalista.[11] La preocupación de Galdós por llevar al teatro sus novelas y por incorporar a las que le resta escribir elementos teatrales, se explica para Clarín como evolución lógica del naturalismo, que desde 1881 intenta apoderarse de la escena. En España, Echegaray ha hecho suya ya, en cierta manera, la doble faz realista y simbólica del teatro naturalista. Quiero insistir en la idea, muy bien expresada por Sherman H. Eoff, de que se trata de una evolución paulatina y muy racionalmente justificada. Hay elementos naturalistas que son constantes en Galdós por ser su inexcusable deuda con la ciencia positiva de su siglo, cuya consideración constituye para Eoff la base de cualquier estudio sobre el realismo galdosiano.[12] Por razones distintas de las expresadas por Pardo Bazán en 1884, se aleja Galdós del naturalismo; considera sin duda que el naturalismo es poco apto ya para transmitir la complejidad de la vida española. Ha crecido además su pretensión de unir las tendencias modernas con la "rancia" tradición de la novela del siglo XVII, con Cervantes, maestro de realistas, y con la picaresca, inicio español de la novela naturalista.[13]

No se olvide nunca esta distinción." Clarín, *op. cit.*, pág. 120.
11. Véase al respecto el excelente comentario de Clarín sobre Realidad de Galdós y sobre los intentos modernos de superar el arte naturalista, *op. cit.*, págs. 193-229.
12. "Galdós in Nineteenth Century Perspective", AG. I, 1, 1966, págs. 3-9.
13. Galdós se anticipó en ese sentido a Pardo Bazán, José A. Balseiro, *Novelistas españoles modernos*. New York, 1933, pág. 274 dice que Emilia Pardo Bazán cumplió la doble misión de enterar a los españoles sobre el movimiento francés y de recordarles "que en sus producciones de anteayer –*La Celestina*, la picaresca, el *Quijote*– tuvo España un realismo literario, más artístico y

La definición del realismo de Galdós se complica por la existencia contemporánea en sus novelas de lo que podemos llamar tres estilos: el estilo dramático, el estilo alegórico y el estilo narrativo. Aunque estas tres perspectivas pueden verse también en el desarrollo de la novela naturalista francesa, en Galdós se superponen de tal modo que a veces esos tres estilos aparecen conjuntamente en la misma novela, como ocurre por ejemplo en *Doña Perfecta*, que es novela, tragedia campesina y alegoría de España al mismo tiempo. El estilo dramático está presente, desde *La Fontana de Oro*, en todo instante en que el sentido trágico de la vida se identifica con un personaje o una acción; su desarrollo se hace más evidente a partir de *La Incógnita* y adquiere total presencia en las novelas habladas, como *El abuelo*. También existe entonces "intertextualidad", pero ahora es Shakespeare y no la literatura española el hipotexto más importante. En sus Memorias, Galdós cuenta sus viajes a Inglaterra, a la casa de Shakespeare, y en su *Viaje a Italia* relata la visita en Verona a la supuesta tumba de Romeo y de Julieta. Pasa entonces revista a todas las figuras creadas por el dramaturgo inglés, "seres imaginarios que parecen reales" y que "la Humanidad entera ha hecho suyas, reconociéndolas como de su propia substancia" (N III, 1199). Cuando se trata de pintar el intenso drama de la vida política española, la sangrienta tragedia de la guerra civil, Macbeth es la obra que los personajes leen o a la que el narrador alude. Narváez, en *Bodas reales*, se asusta como Macbeth de las imágenes fantasmales de aquellos a quienes mató. En *La campaña del Maestrazgo* y en *España trágica*, Shakespeare contribuye a la creación de una atmósfera de terror nacional. Los encuentros amorosos, en cambio,

---

humano a la vez que el naturalismo producido por Zola." Párrafo citado por Donald Fowler Brown en *The Catholic Naturalism of Pardo Bazán*. Chapell Hill, The University of North Carolina Press, 1959, pág. 147.

como el de Calpena y Aura en *Mendizábal*, en una "alborada de amor", tienen como modelo a *Romeo y Julieta*. Pero la más extendida alusión a obras de Shakespeare corresponde al *Rey Lear*: la figura de este personaje, loco como el Quijote y como él patéticamente humano, obsesiona a Galdós. En *Luchana*, el anciano Beltrán de Urdaneta, que mientras camina con Calpena cuenta su desventurada suerte, siente que de tanto llorar se le están secando los ojos. Poco después, en *La campaña del Maestrazgo*, aparece ya ciego, abandonado por sus hijos, despreciado por sus amigos e ignorado por sus propios servidores. Sus quejas sobre la ingratitud humana van más allá de su personal dolor pues se convierten en un enjuiciamiento a la patria entera: "Ya ho hay hijos, quiero decir, hijos buenos. Esa raza concluyó. Con estas malditas guerras entre hermanos parece que se ha venido al suelo toda la ley de humanidad y hasta los sagrados fueros del parentesco y de la sangre" (E II, 803). En *El abuelo*, Galdós imita deliberadamente la obra de Sahkespeare como modo también de rendirle homenaje. En el prólogo menciona a Shakespeare como modelo de autor de obras dramáticas a veces irrepresentables: "Saltando de nuestra pequeñeces a los grandes ejemplos pregunto: el *Ricardo III* de Shakespeare, colosal cuadro de la vida y de las pasiones humanas, ¿puede ser hoy considerado como obra teatral práctica?" (N III, 801). Las relaciones de la novela con el REY LEAR de Shakespeare son muy evidentes; en momento de su aparición, la obra fue juzgada por algunos, según Clarín como un plagio del *Rey Lear*. El león de Ardit tiene como Lear un excesivo sentido de la dignidad personal acrecentado por su dominio de seres y de cosas; su gigantesca estatura, su arrogante gesto, contrastan con su ancianidad, su ceguera y la paulatina alteración de sus facultades mentales causada por la ingratitud. La actitud de los hijos y de los criados adquiere nueva justificación al asociarse con los problemas del agro español, con las consecuencias de la desamortización, la distribución no equitativa de la riqueza y la conversión en propietarios de los campesinos y los siervos. Las escenas en que el señor de Albrit deambula por bosques y altozanos con el maestro Pío Corona, recuerdan de inmediato las del Rey Lear y el disfrazado Edgar; Pío y Albrit meditan sobre la vida y la muerte y están dispuestos a suicidarse. Esas escenas simbólicas se eliminan en la adaptación teatral de la novela con perjuicio de la intensidad trágica de los personajes, especialmente de Pío Corona. El drama humano y simbólico se transforma en un drama particular y burgués.

El segundo estilo de Galdós, el estilo alegórico ha sido bien estudiado por Bly, aún cuando su análisis se extienda a veces a obras como *Fortunata y Jacinta* que no aceptan en su totalidad la interpretación alegórica.[14] El modelo constante de Galdós para sus alegorías es el de Dante Alighieri cuya presencia en *Marianela* y en *Doña Perfecta* ha sido vista ya por Joaquín Casalduero.[15] Galdós conoce bien la literatura italiana, en especial la obra de Leopardi y de Maquiavelo, autores a los que juzga inteligentemente. En el *Viaje a Italia* se extiende además en consideraciones sobre la *Divina Comedia*, obra ante la que experimenta un "estupor mágico" similar al que le producen los frescos del Giotto. Valora el carácter dramático de los cantos del "Infierno", pero es en el "Purgatorio" "donde resplandece con mayor esplendor la inspiración del poeta y donde se ve la más perfecta armonía entre su naturaleza moral e intelectual" (N III, 1406). Galdós asocia además a Dante con Quevedo, ya que Las zahurdas de Plutón le parecen siempre una versión española de la *Divina*

---

14. Me refiero a su libro *Galdós' Novel of the Historical Imagination. A Study of the Contemporary Novels* Liverpool, Francis Cairns, 1983 (Liverpool Monographs in Hispanic Studies) Ver mi reseña en *Hispanic Review*. LII, 1984, págs. 411-413.
15. *Op. cit.*, págs. 243-244.

Comedia. En *Tristana* utiliza versos del Dante, y de otros poetas del *dolce stil nuovo*, para acentuar la idealización amorosa de los amantes. Con un procedimiento habitual en él, las citas en boca de los personajes cumplen una función doble: ayudan a exaltar aspectos de la caracterización o de la historia que se cuenta, en este caso la tendencia a idealizar y el lirismo falso de la relación, y al mismo tiempo reduce el nivel poético de la cita a la realidad vulgar del personaje, para hacer triunfar la realidad sobre la fantasía literaria. Pero es sobre todo en los descensos a misteriosas cavernas que son por un lado cuevas como la de Montesinos y por el otro prefiguraciones del Infierno, donde las figuraciones dantescas adquieren mayor desarrollo. No es extraño que en *Marianela*, el recuerdo de Dante se asocie con las bajadas a las galerías subterráneas de la explotación minera. En *Ángel Guerra*, en el ya visto espisodio de la cueva en que se ha perdido el cervatillo de Jesús, Leré adquiere el carácter protector y hasta la figura de la Beatriz de Dante, en el mismo momento en que Guerra es acosado por monstruos infernales. Las transformaciones mágicas que experimenta Tarsis en *El caballero encantado* van acompañadas de coros de ninfas y de otros personajes alegóricos; parecen en muchos momentos figuraciones de la literatura italiana, en especial del Dante. Un ejemplo absolutamente claro se lee en *La primera república*. Tito es llevado por una ninfa llamada Floriana a las catacumbas de Madrid; Floriana se le ha aparecido como "creatura bella" de "bianco vestita"; esas cavernas madrileñas se definen como "mundo dantesco". Una tenue luz emana del interior del recinto, sin fuente exterior alguna. Unas "vaporosas" ninfas, que forman un coro de danza, sirven a Tito, en platos de cristal, meriendas delicadas. No existe ahora día ni noche; el tiempo parece suspendido. De las paredes terrosas de la gruta, salpicadas de oquedades y covachas, surgen de pronto "cuerpos movibles, animales felinos del mismo color de aquel terrazgo amarillento." Son tigres, panteras; "alimañas rampantes" que aterrorizan a los viajeros. De entre todas esas bestias se destaca un enorme toro hispano, "mayor que los más corpulentos elefantes, colorado retinto, por su porte y lámina de genuina casta española, con una cornamenta que a Dios llamaba de tú." Ese toro, símbolo de una indomable energía, lanza al huracanado aire de sus narices sobre el cuerpo exánime del historiador, en medio de un estruendo de trompetas similar al del Juicio Final. Como una figurina de pintura cretense, Floriana monta, "a flor de mujer", sobre el fogoso animal (E III, 1169-1170). Estas figuraciones alegóricas ocurren generalmente en la imaginación de los personajes, durante el sueño o en estados de dormivela: Galdós no pierde en casi ningún caso las riendas de un realismo fundamental que le impide la total entrega a esos delirios imaginarios. Hay demasiado juego en sus creaciones alegóricas, demasiada ironía y humor, como para otorgarles un sentido equivalente al de la seria alegoría dantesca. No existe además, en casi ningún caso, una relación integral entre el detalle alegórico y lo que significa; por el contrario, Galdós mantiene una ambivalencia constante que impide identificar en la alegoría un sentido único, una referencia clara.

El estilo dramático y el alegórico forman parte indisoluble del estilo narrativo de Galdós. Es en ese estilo narrativo donde mejor podemos identificar el carácter de su realismo. Una conciencia realista esencial lo lleva a mediatizar lo trágico y lo alegórico, a balancear con la ironía esos excesos más propios del carácter extremado de los personajes que viven tales experiencias, que de la realidad misma. Básicamente, el realismo de Galdós es una actitud de carácter filosófico y ético que consiste en describir el mundo tal cual es y en establecer como norma esencial de la vida el ajuste permanente a esa realidad. Como lo ha visto inteligentemente Clarín, su realismo es anterior a toda escuela literaria; los preceptos de esas escuelas se incorporan a su novelar en la medida en que sirven a ese propósito. Las exageraciones de esas escuelas, como las exageraciones de los personajes, merecen también la corrección de la ironía. En Galdós ocurre, como en muchos otros casos, que los principios estéticos aceptados son al mismo tiempo sometidos a una crítica inmediata. Así como Cervantes acepta y critica la preceptiva heredada, Galdós recoge principios y técnicas externas pero con un riguroso distingo previo entre lo que en esos principios existe de verdad y lo que en ellos hay de exageración doctrinaria. Como ocurre con el Romanticismo de Rivas, para dar un ejemplo más cercano, en el que aparecen todos los elementos de la escuela francesa y al mismo tiempo la parodia de esa escuela, el realismo y el naturalismo de Galdós incluyen la parodia. Quizá sea esa perspectiva lo que mejor explica su cervantismo.

Además, el mismo autor se somete a las leyes que crea: describe la realidad social y psicológica con apoyo de las ciencias cuando es necesario, sin olvidar que hay otras dimensiones de la realidad que la ciencia no estudia; pinta a sus personajes como seres determinados por la raza, el medio y el momento, pero reconoce en ellos la dimensión de una libertad más profunda; relata acciones simples de la vida común pero no ignora que las vidas particulares son sólo metonimias de una verdad más absoluta; escribe, por último, en una prosa llana, con un lenguaje eficaz y preciso, pero se sirve también de ese lenguaje para remontarse a altas esferas de poesía. El principio ético de ajuste a la realidad que rige su visión de España y del hombre, rige también su conducta personal y su conducta de escritor. Entre Galdós y sus novelas existe una relación tan íntima, que puede a veces confundirse con la proyección lírica del autor hacia el mundo que nos describe. Lo ha dicho admirablemente Amado Alonso; "Galdós identifica su destino personal con su destino de español; necesita hacer partícipes a los demás españoles de sus tanteos en busca de la verdad, el bien y la felicidad. Por eso se sale de sí mismo y convoca a las agitadas gentes de sus novelas, y a las cosas materiales que las gentes hacen y usan, y nunca con la 'objetividad' o prescindencia programada por el naturalismo, sino con adhesión cordial, con creadora endopatía, haciendo de los hombres y de las cosas espejos innumerables donde se retrataba su propia alma proteica".[16] Se advierte hasta el esfuerzo del autor para restringir su excepcional imaginación poética convirtiéndose a sí mismo en el modelo de lo que requiere de España y de los españoles. La tensión entre realidad e imaginación no es sólo contradicción española, problema de los personajes, sino también problema de Galdós. Pocas veces, y no por las mismas razones, ha debido un escritor vigilar con tanta conciencia su propia imaginación creadora.

La visión de la realidad como expresión de constantes permanentes del espíritu nacional, la interpretación del hombre como animal sujeto a la naturaleza y al mismo tiempo libre de ella, como ser miserable y caballero, sin embargo, del ensueño, la concepción de una literatura que refleje la sociedad pero también la experiencia de la literatura nacional, y la identificación del autor con lo que refleja y critica, no tienen ninguna cabida en los parámetros del realismo francés. Pero constituyen no obstante los caracteres más destacados del realismo español desde Cervantes, incluidos los escritores contemporáneos que Galdós considera realistas como Fernán Caballero, Pereda y Clarín. No se trata pues de ceñir la novelística de Galdós a definiciones que lo empobrecen, sino de ampliar esas definiciones hasta darle cabida. Como dice George J. Becker, en un libro excepcional en

---

16. *Materia y forma en poesía*. Madrid, Gredos, 1965, "Lo español y lo universal en la obra de Galdós", págs. 202-203.

muchos sentidos, pero sobre too por su conciencia de la importancia de Galdós, *Realism in Modern Literature*, "Any conception of realism wich cannot accomodate Galdós had better be abandoned as incomplete, for, though elusive and unconventional as novelist, he gives the impression of seizing reality entire." [17]

La novelística de Galdós, en todo su desarrollo, constituye el puente indispensable entre la literatura del siglo XVII y la literatura del siglo XX. Sin el aprendizaje de sus novelas, el arte de Unamuno, de Valle Inclán, de Azorín y de Baroja carecerían de sostén. Por eso creo útil haber considerado esa novelística como reflejo crítico de toda la literatura española, independientemente de sus otros aciertos. La novela para Galdós, y no es ésta pequeña distinción entre los realistas, no es sólo reflejo de realidades específicas sino también de los modos nacionales en que esa realidad se percibe.

---

17. *Realism in Modern Literature* se publicó en New Yok, Frederick Ungar Publishing Co., 1980; ver pág. 177 y passim.

ÍNDICE

COLECCIÓN MAIOR

1. ¿Qué es la novela. Qué es el cuento? Mariano Baquero Goyanes.
2. Desviación social. Una aproximación a la teoría de la intervención. Ernesto Coy y Mª Carmen Martínez.
3. De lo literario a lo poético en Juan Ramón Jiménez. José David Pujante Sánchez.
4. Alfabetización y educación de adultos en Murcia. Pasado presente y futuro. P.L. Moreno y A. Viñao (eds.).
5. La transformación de la conciencia moderna. Francisco Jarauta y otros.
6. La Regenta y el lector cómplice. John Rutherford.
7. Borges y la literatura. Textos para un homenaje. Victorino Polo (ed.).
8. Mentalidad y religiosidad popular murciana en la primera mitad del siglo XVIII. Antonio Peñafiel Ramón.
9. El atuendo en la obra de Frederi Mistral. Juana Castaño Ruiz.
10. Lingüística textual y análisis de textos. Miguel Metzeltin.
11. Cervantes en la narrativa de Francisco Ayala. Carmen Escudero.
12. La regulación de los arrendamientos rústicos en el Código Civil. José Antonio Cobacho Gómez.
13. Corografía. Pomponio Mela. Traducción y notas de Carmen Guzmán Arias.
14. La Corona de Aragón en la reconquista de Murcia. Luis Rubio García.
15. Cervantes y cuatro autores del siglo XIX. Ana Luisa Baquero Escudero.
16. La ley del corazón: Un estudio sobre Rousseau. José López Hernández.

17. El aition en las Argonáuticas de Apolonio de Rodas. Estudio Literario. Mariano Valverde Sánchez.
18. Usos y costumbres en la aparcería de la provincia de Murcia. Antonio Pérez Crespo.
19. Escenotécnia del Barroco: El error de Gomar y Bayuca. Rafael Maestre.
20. La guerra civil española. Arte y violencia. Derek Gagen y David George (eds.).
21. España y la delimitación de sus espacios marinos. Esperanza Orihuela Calatayud.
22. Los fabliaux. Josefa López Alcaraz.
23. De Grecia y la Filosofía. Felipe Martínez Marzoa.
24. Creatividad, ordenador y escuela. Carmen Pérez Pérez.
25. Estabilidad en el empleo. Alfredo Montoya Melgar (ed.).
26. Lenguaje, Texto y Mass-Media. Aproximación a una encrucijada. Manuel Martínez Arnaldos.
27. Tendencias Actuales del Derecho del Trabajo. Perspectiva Iberoamericana. Varios Autores.
28. La Huerta de Murcia en el siglo XIV. (Propiedad y Producción). Isabel García Díaz.
29. Comedias. Gaspar de Avila. Edición, prólogo y notas de Mª Carmen Hernández Valcárcel.
30. Galdós y "La Esfera". Brian J. Dendle.
31. Las construcciones pronominales pasivas e impersonales en español. Agustín Vera Luján.
32. La objeción de conciencia en el Derecho español e italiano. Jornadas celebradas en Murcia los días 12 al 14 de abril de 1989.
33. La razón silenciosa. Una lectura crítica de las Enéadas de Plotino. Antonio Campillo.
34. Dino Campana (Un poeta italiano del siglo XX, entro lo maudit y la esquizofrenia). Pedro L. Ladrón de Guevara.
35. Cervantes en Galdós (Literatura e Intertextualidad) Rubén Benítez.

36. Apuntes gramaticales sobre la interjección. Ramón Almela Pérez (3ª edición).
37. La Protección del interés del donante. Enrique Quiñonero Cervantes.
38. La enseñanza del Derecho Administrativo. Antonio Martínez Marín.
39. España ante la convención sobre el Derecho del mar. Las declaraciones formuladas. Rosa Riquelme Cortado.
40. Mujer española, una sombre de destino en lo universal. Rosario Sánchez López.
41. "Comprensión" e "Interpretación" en las Ciencias del Espíritu: W. Dilthey. Ángeles López Moreno
42. Desigualdad, indigencia y marginación social en la España Ilustrada: las cinco clases de pobres de Pedro Rodríguez Campomanes. Matías Velázquez Martínez.
43. Concentración y colaboración empresarial en el Derecho de las Sociedades Cooperativas. José Miguel Embid Irujo.
44. Itinerarios de la Ficción en Gonzalo Torrente Ballester. Sagrario Ruiz Baños.
45. El universo narrativo de Jesús Fernández Santos (1954-1987). Ramón Jiménez Madrid.
46. Operaciones concretas y formales. Andrés Nortes Checa y José Manuel Serrano González-Tejero.
47. El control sindical de los contratos. Jesús Mª Galiana Moreno y Antonio Vicente Sempere Navarro.
48. Guerra e indefensión: realidad y utopía en la Antigua provincia de la Mancha Alta durante la primera Guerra Civil española (1835-1839). Ana Mª Guerra Martínez.
49. Fiscalidad concejil en la Murcia de fines del Medievo. Mª Carmen Veas Arteseros.
50. Codificación de campos míticos. Vicente Bastida Mouriño.
51. La teoría textual barthesiana. Ángeles Sirvent Ramos.